Horoskop 2023

Rubi Astrologa

Published by Rubi Astrologa, 2022.

While every precaution has been taken in the preparation of this book, the publisher assumes no responsibility for errors or omissions, or for damages resulting from the use of the information contained herein.

HOROSKOP 2023

First edition. October 30, 2022.

Copyright © 2022 Rubi Astrologa.

ISBN: 979-8215157039

Written by Rubi Astrologa.

Horoskop
2023

Astrologische Vorhersagen der Welt.
Vorhersagen für alle Sternzeichen.

Astrologen
Alina A. Rubi und Alina Rubi

Allgemeine Prognosen 2023
  Rückläufige Planeten 2023
  Rückläufige Perioden - Merkur 2023

  Perioden rückläufiger Merkurschatten
  Was tun während des rückläufigen Merkur?

Venus rückläufig 2023
Mars rückläufig 2023
Retrograder Jupiter 2023
Retrograder Saturn 2023
Retrograder Uranus 2023
Neptun rückläufig 2023
Pluto rückläufig 2023
Black Moon
New Moon Visible
Mondsichel
Vollmond
Abnehmender Mond
Beste Tage, um einen Haarschnitt zu bekommen

  Neumond
  Mondsichel
  Vollmond
  Abnehmender Mond

Die Mondphasen und Pflanzenkulturen
Rituale 2023 für alle Sternzeichen

  Roma-Süßung

Vollmondwasser
Der verzauberte Apfel der Liebe
Neutralisierendes Ritual für schlechte Energien in Ihrer Beziehung
Ritual für materiellen Überfluss während einer Sonnenfinsternis.
Ritual mit Honig, um Wohlstand in Ihr Leben zu bringen.
Israelisches Ritual, um Geld zu verdienen.
Ritual, um die Lotterie zu gewinnen. Vollmond
Die Schlüssel der Fülle.

Farben, um Geld anzuziehen

Finsternisse und ihre Magie

Eclipse Termine 2023

Auswirkungen von Finsternissen 2023 auf unser Leben

Neumond-Sonnenfinsternis im Widder: 20. April 2023
Halbschattenfinsternis des Mondes im Skorpion: 5. Mai 2023
Sonnenfinsternis in der Waage: 14. Oktober 2023
Mondfinsternis im Stier: 28. Oktober 2023
Sonnenfinsternis Wasser

Wer ist dein Seelenverwandter nach deinem Sternzeichen?
Was ist das kontrollierendste Tierkreiszeichen?
Was ist das aufrichtigste Tierkreiszeichen?
Was ist das gefährlichste Merkmal jedes Sternzeichens?
Sternzeichen von Charakteren aus der Bridgerton-Serie
Wie jedes Sternzeichen einer sentimentalen Trennung gegenübersteht.
Allgemeines Horoskop des Widders
Stier Allgemeines Horoskop
Gemini Allgemeines Horoskop
Allgemeines Krebshoroskop
Löwe Allgemeines Horoskop
Allgemeines Horoskop Jungfrau
Waage Allgemeines Horoskop
Allgemeines Skorpion-Horoskop
Schütze Allgemeines Horoskop
Steinbock Allgemeines Horoskop
Allgemeines Horoskop Wassermann
Fische Allgemeines Horoskop
Neid. Zeichen und wie man sie bekämpft.
Was beneiden sie dich nach deinem Sternzeichen?
Die Tarotkarten, eine rätselhafte und psychologische Welt.
Tarotkarten für jedes Sternzeichen 2023

Vier Pentakel, Tarotkarte für Widder 2023
Pique Ritter, Tarotkarte für Stier 2023
Königin der Zauberstäbe, Tarotkarte für Zwillinge 2023

Abstinenz, Tarotkarte für Krebs 2023
Der Narr, Tarotkarte für Leo 2023
Die Macht, Tarotkarte für Jungfrau 2023
Zauberstab-Ass, Tarotkarte für Waage
Acht Pentakel, Tarotkarte für Skorpion 2023
Königin der Pentakel, Tarotkarte für Schütze 2023
Ass der Tassen, Tarotkarte für Steinbock 2023
Sechs Zauberstäbe, Tarotkarte für Wassermann 2023
J Gold-Bube Tarotkarte für Fische 2023

Wahre Liebe
Runen des Jahres 2023 von Zodiac Sign

Fehu, Rune des Widders 2023
Jera, Stier Rune 2023
Laguz, Zwillinge Rune 2023
Dagaz, Krebs Rune 2023
Gebo, Runa de Leo 2023
Isa, Jungfrau-Rune 2023
Mannaz, Waage Rune 2023
Tiewaz, Skorpion-Rune 2023
Othila, Rune des Schützen 2023
Nauthiz, Steinbock-Rune 2023
Perthro, Wassermann-Rune 2023
Thurisaz, Fische Rune 2023

Glücksfarben für jedes Sternzeichen

Widder
Stier
Zwillinge
Krebs
Löwe
Jungfrau
Waage
Skorpion
Schütze
Steinbock
Wassermann

Fische

Lucky Amulette von Zodiac Sign
Die Kerzen

Interpretation der Kerzen
Farben der Flamme einer Kerze
Kerzenfarben für Rituale

Glücksquarz für jedes Sternzeichen im Jahr 2023
Astrologie und Gesundheit.
Wenn die Erde schreit, weint der Himmel.
Bibliografie
Über die Autoren

Allgemeine Prognosen 2023

Das Jahr 2023 ist da! Ein Jahr, das wie die beiden vorherigen weiterhin viele Veränderungen an allen Sternzeichen mit sich bringen wird. Viele Herausforderungen liegen vor uns, und wir müssen alle vorbereitet sein.

Wirtschaftsplanung ist der Schlüssel zum Überleben in diesem Jahr, es wird eine kritische Periode auf wirtschaftlicher und sozialer Ebene im Allgemeinen sein. Wir werden Engpässe bei Lebensmitteln und Verteilung, teures Benzin, Wetterereignisse, politische Probleme, Pandemien oder Viren und Inflation haben. Es wird nicht einfach sein, aber wir dürfen nicht aufgeben.

Wir werden weltweit mit einer tiefen Krise des Finanzsystems konfrontiert sein, die zwischen November und Dezember 2022 begann. Es ist ratsam, dass Sie Ihr Geld in materielle Dinge wie Immobilien, Land oder Gold investieren, da die Kaufkraft einer tödlichen Einschränkung ausgesetzt ist.

Es gibt wenig Chancen, dass diese Umstände gelindert werden, bis der Nordknoten im Juli zum Zeichen des Widders übergeht, so dass Jupiter der Wirtschaft und den Lieferketten helfen kann. Die Venus geht jedoch auch im Juli zurück, und die totale Sonnenfinsternis im Stier findet erst im Oktober statt, daher kann es einige Zeit dauern, bis sich diese Verbesserungen materialisieren. Der Nordknoten, ein karmischer Punkt, der zum Zeichen des Widders übergeht, ist keine gute Prognose für das

Ende der verschiedenen Schlachten, die überflüssigerweise Millionen von Menschen auf der ganzen Welt kreuzigen.

Wir beginnen das Jahr mit dem rückläufigen Merkur, dem Konflikt von Saturns Quadrat - Uranus, der sich allmählich auflöst, und Mars rückläufig in Zwillingen in seiner letzten Phase. Später werden wir eine neue Show genießen, wenn sich die Energie von Saturn-Uranus in die Schwingung von Saturn-Neptun im Zeichen der Fische ändert. *Pluto beginnt seinen Transit in Richtung Wassermann am 21. Januar 2024 und benötigt zwei Jahre, um sich niederzulassen, und tritt Ende 2024 bis 2044 ohne Einschränkungen ein, du für einen Zeitraum von 20 Jahren.*

Auch 2023 werden wir vom Klimawandel betroffen sein. Jupiter im Widder könnte Brände verursachen, die im Winter und Frühjahr 2023 ein destabilisierender Faktor sein werden.

*Der wichtigste planetare Transit für 2023 ist der Planet **Pluto,** der am 23. März in das Zeichen Wassermann eintritt.*

Pluto im Wassermann ist mehr auf die Zukunft ausgerichtet, und während dieser Zeit werden die sozialen Strukturen aufgrund all der wichtigen und dramatischen Ereignisse, die passieren werden, reformiert. In diesem Zyklus werden wir uns den Behörden und der Kontrolle stellen und versuchen, unsere Gesellschaft zu erneuern.

Pluto geht am 11. Juni zum Steinbock zurück, und da dieser Transit in den letzten Graden stattfindet, werden wir gigantische Krisen von Staaten, Regimen, Unternehmen und Politikern erleben.

Seit 2008 fördert Pluto das Chaos und stellt damit die globalen Machtorganisationen entscheidend auf den Kopf. Pluto wird von März bis Juni 2023 bei 0° im Wassermann anhalten, bevor ein begrenzter letzter Transit durch Steinbock stattfindet. Pluto, der letzte Planet in unserem Sonnensystem und der am weitesten von unserer Sonne entfernt, wurde 1930 entdeckt. Aufgrund seiner langen Umlaufbahn dauert es zwischen 12 und 30 Jahren, um ein einzelnes Zeichen zu durchlaufen; Seine Auswirkungen haben globale Auswirkungen, mehr als persönlich. Pluto ist ein generationenübergreifender Geschichtenerzähler in der Astrologie. Babyboomer wurden zwischen 1939 und 1958 mit Pluto im Zeichen des Löwen geboren. Hier entstanden die glorifizierten Weltführer und der erhabene Prototyp der angedeuteten amerikanischen Überlegenheit.

Pluto durchquerte das Zeichen der Waage zwischen 1971 und 1983 und brachte die Generation X zur Welt, die versuchte, das Waage-Ideal des äußeren Glücks zu stürzen.

Millennials wurden während Plutos Transit durch den Skorpion zwischen 1983 und 1995 geboren, einer Zeit, in der AIDS ausgelöst wurde, Pornografie den Sex veränderte und nukleare Panik neue Fluchtmöglichkeiten eröffnete.

Die Generation Z wurde zwischen 1995 und 2009 mit Pluto im Schützen geboren und wird in den kommenden Jahren die übertriebenen Ideale des Zeichens, spirituelle Bedenken und Verschwörungstheorien aufdecken.

Pluto symbolisierte ursprünglich Reichtum und wurde früher als Pseudonym für Hades, Gott der Unterwelt, verwendet. Dieser Planet ist verantwortlich für die Enthüllung oder Wiederherstellung dessen, was verborgen wurde: Rätsel, Vermächtnisse, sogar nukleare Arsenale.

Plutos letzter Transit durch den Wassermann zwischen 1778 und 1798 führte zu radikalen Veränderungen in der sozialen Ordnung und den öffentlichen Rechten, darunter die Bestätigung der amerikanischen Verfassung, die industrielle Revolution, die Wiederherstellung der Frauenrechte und die Französische Revolution.

Die Französische Revolution entthronte eine morbide Monarchie, aber ihre Äquivalenzen des strengen Regionalismus schließen heute religiöse und rassische Unterschiede nicht mehr ein. Die ehemalige Sowjetunion wird vom Zeichen Wassermann regiert, und im Aufstieg und Fall des Kommunismus haben wir gesehen, wie ein idealer Gerechtigkeitsansatz zu einem Damoklesschwert führen kann.

Während Pluto durch den Wassermann schlendert, werden mehrere Planeten durch Widder durchqueren, das Zeichen von Aktion und

Aggression. Jupiter- 2023, Saturn 2025-2028 und Neptun 2025-2039. Widder verherrlicht die individuelle Freiheit, während Wassermann Regentschaft über das Hypothetische hat und in seinen unvergleichlichen dimensionalen Mustern rücksichtslos ist. Wohin geht die Reise? Der Neoliberalismus wird sich in Stalinismus verwandeln, während diejenigen, die persönliche Freiheiten fordern, zu Wächtern und Terroristen werden. Zeitgenössische Kulturkriege sind wahrscheinlich buchstäblich und strukturieren politische Parteien, Grenzen und Nationalitäten.

Obwohl wir einen Quantensprung in der Technologie gemacht haben, werden erst mit diesem Transit die wichtigsten Ressourcen dieser Ära gedeihen. Erlöst von Steinbock müder Ketten mit Gewohnheit und gestern, kann Pluto im Wassermann einen Blick in die Zukunft erhaschen. Keine abgenutzten Klagen mehr, dass die Welt bald untergehen wird, denn wenn diejenigen, die mit Pluto im Schützen geboren wurden, die Generation Z, Macht erlangen, wird sich ein verjüngtes Gefühl der transformativen Möglichkeiten ausbreiten.

Derzeit sind Kommunikation und soziale Medien Instrumente der Überwachung, Verbreitung und Dominanz. Während Pluto durch den Wassermann reist, wird die Menschheit gegen die Mächtigen kämpfen, die unsere Informationen und die Kontrolle über unser Leben haben. Es ist wahrscheinlich, dass Pluto im Wassermann die Kommunikationsmittel und die soziale Ordnung auslöschen wird, die unsere Spezies verbunden halten.

Zwei Themen, die im Mittelpunkt aktueller kultureller Kämpfe stehen, sind die Geschlechtsidentität und der legale Zugang zu Abtreibung. Es ist möglich, dass die Dinge schlimmer werden, bevor sie besser werden. Aber Wassermann ist nicht ungeduldig mit körperlicher Unabhängigkeit, sondern mit Fragen darüber, was ein menschliches Wesen ist. Um in eine andere Welt zu gelangen, muss Pluto die bestehende zerstören.

Pluto symbolisiert das Ende und die Tragödie und überwacht als Herrscher des Skorpions Karma, Tod und Wiedergeburt. Die Transite von Pluto erzeugen Kollaps, Vernichtung und erwecken aus den Ruinen das Bewusstsein. Als Vertreter des Schicksals ist jede Störung oder Katastrophe, die es hervorbringt, unvermeidlich zugunsten von Reformen und Glück.

Pluto ist ein Planet der Rückschläge. Indem es Schöpfung und Ruin symbolisiert, wird es veraltete Dinge zerstören und archaische Denkformen durch fortschrittliche Ansichten ersetzen. Es repräsentiert auch Transformation und Auferstehung, reformiert Überzeugungen, um sich an den gegenwärtigen Momenten auszurichten. Der kleinste Planet arbeitet daran, der Welt zum Fortschritt zu verhelfen, und wenn die Menschen nicht mitmachen wollen, können wir soziale Revolutionen sehen.

Es ist seit 2008 wiederholt passiert, wobei Einzelpersonen, Unternehmen und Systeme für ihre Unehrlichkeit und ihren Machtmissbrauch einzeln entlarvt wurden. Bernie Madoffs Schneeballsystem, der Fall Odebrecht, der Bankrott von Enron, die von WikiLeaks 2015 aufgedeckte Korruption in den Regierungen Bush und Obama, Geldwäsche aus Russland mit Hilfe Moldawiens, die staatliche venezolanische Ölgesellschaft PDVSA, der Geldwäschefall von Teodorín Obiang aus Äquatorialguinea, der FIFA-Korruptionsfall, die Verhaftung des guatemaltekischen Präsidenten Otto Pérez Molina wegen Korruption, die Verhaftung des türkisch verstaatlichten iranischen Geschäftsmanns Reza Zarrab, der im Rahmen einer Strategie zur Umgehung der US-geführten Sanktionen gegen den Iran an einem Geldwäschesystem beteiligt war, das Panama Papers-Leck, die Paradise Papers, die Black-Lives-Matter-Bewegung und der Fall von Epstein, Prinz Andrew und seiner Ex-Freundin Ghislaine Maxwell, um nur einige Beispiele zu nennen.

Die Vereinigten Staaten werden weiterhin ihre Pluto-Rückkehr erleben, die offiziell im Jahr 2022 begann. Pluto setzt seine Revolution fort, und welche Absicht auch immer für unser Land am 4. Juli 1776 festgelegt wurde, bleibt im Überblick. Die Vereinigten Staaten haben ihre Grundlagen in vielen plutonischen Mysterien. Es ist allgemein bekannt, dass einige der Gründerväter, darunter George Washington und Benjamin Franklin, Mitglieder der Franko-Freimaurer waren, einer Ordnung, die sich beim Aufbau des Landes und seiner Städte konstituierte, von denen viele, wie das Washingtoner Denkmal, deutlich die Konstruktion und das Wesen des alten Ägyptenausdrücken.

Ideale werden transformiert, da wir alle verstehen, dass es zu viele Fehler in unserer Regierung gibt, zu viele, um sie zu ignorieren. Das Land ist fragmentiert, und wir sind uns alle einig, dass Veränderungen notwendig sind.

Die Pandemie hat die Menschen dazu gebracht, Veränderungen zu fordern, und diese Rückkehr von Pluto markiert ein neues Kapitel in der Geschichte.

Die wichtigste Änderung wird die Art und Weise sein, wie wir Transaktionen durchführen und wie wir entschädigt werden. Mit so vielen Menschen, die aus der Ferne arbeiten, wurde die Freiberuflichkeit betont, und wir waren noch nie so stark der Technologie unterworfen. Kryptowährungen reformieren die Art und Weise, wie wir sparen und Geld verdienen. Während Pluto durch den Steinbock gereist ist, stehen wir bereits am Anfang einer Währungsreform, die endlich alte Praktiken in neues Verwandeln wird, die allen zugutekommen, ohne Ungleichheit oder Menschen an der Macht, um die finanziellen Fäden zu ziehen.

Mit Pluto, der den Wassermann im Jahr 2023 durchquert, wird die nächste übergreifende politische Revolution das Bestreben sein, Regierungsgelder beiseitezulegen, eine Forderung, die entlang Plutos Transit an Zugkraft gewinnen wird. Der mysteriöse Pluto wird Reformen in Technologie und Finanzen durchführen, die sich für die nächsten zwei Jahrzehnte hinziehen werden.

Der volatile Finanzmarkt ist Teil des Prozesses. Im Jahr 1792, als Pluto das letzte Mal den Wassermann besuchte, wurde der US-Dollar zur Standardwährung des Landes. Zuvor verbreiteten die Kolonisatoren Papiergeld, das prädestiniert war, sie unabhängig vom angelsächsischen Finanzsystem zu machen. Um ihre kriegsbedingten Schwierigkeiten auszugleichen und den Wiederaufbau des Landes zu finanzieren, nutzten die Kolonisten die fortschrittliche Technologie ihrer Zeit, die Druckerpresse, um Papiergeld zu produzieren. Dies ermöglichte es ihnen, die Autokratie von König Georg III. und der unregulierten Ausgabe von Geld zu trennen, die durch die britische Korruption verschärft wurde. Dieser Produktionsausfall und die Verwüstung führten zur Entstehung einer neuen Bundeswährung, des Dollars, und ist zweifellos die Ursache dafür, dass die US-Verfassung den Unterschied zwischen Gold- und Papierwährung festlegt.

Pluto wird aufdecken, was nicht mehr funktioniert, und neue Systeme werden eingerichtet. Bei dieser Rendite geht es nicht nur um Geld, sondern auch um die Grundwerte unseres Landes. Dies zeigt sich im gegenwärtigen Kampf gegen rassistische Ungerechtigkeiten und für bestimmte Freiheiten wie die Meinungsäußerung. Korruption war immer da, aber die Menschen lehnen sich nicht mehr zurück und lassen es geschehen. Sie setzen sich für ihre Rechte ein, was uns wiederum helfen wird, uns wieder auf die Werte auszurichten, auf denen unser Land gegründet wurde.

Es gibt eine Welle von Rücktritten, und es ist nicht zu erwarten, dass dieser Trend in absehbarer Zeit endet. Die Menschen sind nicht mehr bereit, unsere Lebensqualität zu opfern, nur um einen Job zu behalten. Heute wechseln wir mehr denn je Berufe im Namen unserer Bestimmung, der Harmonie zwischen Beruf, Privatleben und Einkommen. Wenn Babyboomer in den Ruhestand gehen und jüngere mit ihrem aktuellen Job nicht mehr zufrieden sind, entstehen mehr Rollen.

Wenn Unternehmen sich weigern, sich daran zu halten oder auf die Wünsche ihrer Mitarbeiter zu hören, wird es schwieriger sein, Positionen zu besetzen oder zu besetzen. Die Inflationsrate ist die höchste seit 1980, was auf Unterbesetzung, Lieferkettenschwierigkeiten und eine erhöhte Nachfrage nach Waren und Dienstleistungen zurückzuführen ist.

Pluto regiert die Verschmutzung, Beschädigung und Zerstörung, und die Tatsache, dass er derzeit in einem Erdzeichen wie Steinbock rückläufig ist, wird, dazu führen, dass wirtschaftliche und politische Konflikte sowie Umweltprobleme anhalten.

Die Finanzkrise in den ersten sechs Monaten des Jahres 2023 wird stark sein, begleitet von ernsthaften Diskrepanzen zwischen den offiziellen Parteien, die unsere Gesellschaft völlig erschüttern werden.

Präsident Biden wird komplizierte Einschränkungen erleiden, da er mit einer Verschlechterung seiner Gesundheit und einem schweren Ungleichgewicht im US-Wirtschaftssystem konfrontiert ist. In dieser Zeit wird der ehemalige Präsident Donald Trump dynamischer und intensiver sein.

Eine Rückkehr von Pluto mag Schatten freilegen, aber es ist auch ein unglaublich mächtiger Transit, der jedem Land helfen kann, sein volles Potenzial auszuschöpfen.

Die Vereinigten Staaten werden ihre Rückkehr von Pluto im Jahr 2024 abschließen, aber aufgrund ihrer langsamen Bewegungen wird die Metamorphose erst 2028 wirklich Gestalt annehmen. Dies ist, wenn Pluto das Zeichen des Steinbocks für immer verlässt, und wenn dies geschieht, wird es wie der Phönix sein, der aus der Asche aufsteigt, stärker als zuvor. Dieses Zeichen wird als Revolutionär des Tierkreises anerkannt, daher müssen wir darauf vertrauen, dass es uns gelingen wird, unsere Gesellschaft zu reformieren.

Neptun ist seit 2011 in unserem Leben in Fische und wird in diesem Zeichen bis zum Jahr 2026 bestehen. Neptun ist der Herrscher der Fische, und es ist ungewöhnlich, Neptun in seinem eigenen Zeichen zu sehen. Im besten Fall bringt Neptun Pausen in die bestehende Welt. Wenn dieser Zyklus von Neptun in Fische verantwortungsvoll gemanagt wird, kann er als spiritueller Rückzug vom Leben wahrgenommen werden. Wenn

Sie jedoch zulassen, dass die Dinge rutschen, können Sie mit typischen Neptun-Komplikationen enden und sich treibend fühlen.

Quarz, Tarot, Astrologie, Yoga, Runen, Meditation und ganzheitliche Medizin sind Instrumente und Techniken, die sich in den letzten Jahren zunehmend durchgesetzt haben. Dank ihnen haben wir festgestellt, wie viele Menschen in der Lage waren, toxische Beziehungen zu überwinden, und ein neuer Strom von Individuen und Medienstrukturen erobert die Bewunderung.

Nun, Ihre Religion oder Spiritualität ist nicht wichtig, was wertvoll ist, ist, wenn Sie eine umgängliche, angenehme, liebevolle und herzliche Person sind, und die Grenzgrenzen zwischen den Nationen sind keine Gegner für die Art und Weise, wie soziale Medien verbunden sind. All dies war zweifellos in vielerlei Hinsicht günstig für die Welt, aber wann ziehen wir die Grenze zwischen dem, was greifbar und imaginär ist, und an welchem Punkt beginnen wir, den Weg zum Vertrauen in eine dieser Utopien zu verflachen?

Alles, was oben erwähnt wurde, hängt mit Neptun zusammen, und dementsprechend platzt die Wolke. Jeden Tag gibt es mehr Menschen in sozialen Netzwerken, die metaphysische Konzepte herabsetzen und einen Vorschlaghammer auf die "Gurus" des New Age gießen, die weiterhin die Vorstellung fördern, dass alles ein Gesetz der Anziehung ist, und dass, wenn Sie in Ihrer Kindheit ein Trauma erlitten haben, Sie es irgendwie verdient haben. Mit Saturns Eintritt in Fische wird der Ballon platzen, und wir sind bereit, klar zu wissen, was funktioniert und was eine Fata Morgana ist.

Neptuns Muster symbolisiert unsere universellen Träume, Utopien und spirituellen Sehnsucht nach Erlösung. Es ist das Bemühen, mit etwas Größerem als uns zu verschmelzen, sei es in Repräsentationen Gottes oder Ideen wie Gott, wie Hingabe, Gesellschaft, einer politischen Partei oder den Wissenschaften. Alles kann Gott ersetzen, sie sind alle fiktiv.

Neptun und Fische symbolisieren unsere wesentlichen Wurzeln in der Dunkelheit des Universums, das heißt die Geheimnisse des Lebens. Daher *geht es darum, das Verborgene, Unentzifferbare herauszufordern und zu erkennen, dass es Faktoren gibt, die wir vielleicht nie verstehen können. Neptun ist sehr weit entfernt vom logischen Verstand, weit entfernt von der Vernunft.*

Neptun ist der Planet des Eskapismus. Dazu gehört jede Art von Sucht, aber Betäubungsmittel und Alkohol, auch spekulative Spiele, soziale Netzwerke, tagelang eine Serie schauen und für ein Melodrama loslassen, ein Fanatismus an einem Sport und unaufhörlich arbeiten. An sich alles, was zu destruktivem Verhalten führt.

Die meisten unserer dunkelsten Fantasien stammen aus den Zivilisationen, in denen wir leben, und den Gruppen, mit denen wir interagieren. Ganze Länder werden von einem Ideal beherrscht, das sie auf einen destruktiven Weg führt. Wenn Sie denken, dass das unmöglich ist, weil wir gerade rationaler sind, ist Neptun dabei, die Oberfläche zu stören, auf der Sie feststecken.

Neptun verwischt die Grenze zwischen Wahrheit und Halluzination, aber was er wirklich tut, ist, den Vorhang der Illusion zurückzuziehen, damit Sie durch die Realität hindurchsehen können. Neptun simuliert das Erzeugen von Konflikten, aber wenn Sie seine Transite auf die richtige Weise annehmen, ist es eine Möglichkeit, Ihr Wissen zu erweitern.

Neptun offenbart unsere Illusionen, kollektiv und individuell. Wenn deine Fantasien über die Wahrheit stolpern oder im Nichts verblassen, kannst du endlich sehen, was wahr ist und was nicht. Es ruft dich auf, dich daran zu erinnern, dass das Leben größer ist als du und dass du dich zu etwas Höherem als deinem Ego beugen musst. Dies kann sehr erniedrigend sein, und Sie können sich gestört und enttäuscht fühlen, aber es ist richtig, wenn Sie die Realität verstehen wollen.

Neptun im Zeichen der Fische möchte, dass Sie sich wieder mit der Umwelt verbinden und in Harmonie mit ihr leben. Der Wunsch nach einer Verbindung mit der Natur ist ein enthusiastischer Ansatz, der durch dieses Gefühl der Trennung in uns selbst stimuliert wird. Die

Wiederherstellung dieser fragmentierten Verbindung mit dem Planeten erfordert mehr als das Pflanzen von Bäumen.

Unter diesem Transit haben wir eine Zunahme der Anzahl und Gefahr von Naturkatastrophen wie Hurrikanen, Erdbeben und vulkanischen Aktivitäten gesehen. Die Überschwemmungen und Wirbelstürme, die sich in letzter Zeit ereignet haben, senden eine Botschaft, dass wir keine Kontrolle haben und dass die Natur nicht garantiert ist. Wir haben bereits die Zerbrechlichkeit der Meere mit der Zunahme der Verschmutzung gesehen. Wir vergiften den Planeten Erde, und die Natur kann es nicht mehr ertragen.

Neptune in Pisces is imploring us to have a fairer and more objective approach to nature. The view that a limited planet can multiply infinitely is ridiculous, and crazy.

Dieser Transit offenbart die Realität unserer Verbindung. Wir haben in letzter Zeit ein Wachstum der Anzahl intimer Daten gesehen, die wir in sozialen Medien teilen. Millionen von Menschen leben zunehmend fiktiv und etablieren nichtexistierende Identitäten und verstecken sich hinter einer halluzinierten Präsentation ihrer selbst. Unsere persönlichen Daten im Internet sind nicht so geschützt, wie wir dachten, und mit diesem Transit werden wir eine Zunahme von Hacks, fiktiven Konten und der Verbreitung intimer Geheimnisse sehen. All dies steht im Widerspruch zu Warnungen vor Massenkontrolle und Verletzung der Privatsphäre.

Das Internet ist nicht schädlich, da es uns die Möglichkeit gibt, unsere Ideen mit der Welt zu teilen und die Grenzen zwischen verschiedenen Kulturen zu überwinden. Identitäten, obwohl sie zweifelhaft und chaotisch werden können, ermöglichen es uns, andere auf eine inklusivere Weise kennenzulernen und in größeren Nuancen zu denken.

Barrieren brechen auch in der Welt ab. Das Chaos der Masseneinwanderung hat zu grandiosen Ausdrucksformen der Menschlichkeit geführt. Unmittelbar nach einer Naturkatastrophe sehen wir, wie Menschen zusammenkommen, um sich gegenseitig solidarisch zu unterstützen. Aus diesem Grund sind sich mehr Menschen der sozialen Bevorzugung und der Instabilitäten bewusst, die auf der ganzen Welt Elend verursachen.

Ob ein Erwachen des Bewusstseins stattfindet oder nicht, die Welt fühlt sich dunkler an, und wir scheinen eine Abweichung in eine absurde Störung erlebt zu haben. Die Überzeugungen von gestern werden gebrochen, und Sie verstehen das, wenn Sie Pluto im Steinbock und Neptun in Fische betrachten.

Viele Menschen lehnen heute Veränderungen ab, weshalb sich die Dinge verschlechtern, bevor sie gedeihen.

Die Entfremdung, die auf diesem Planeten existiert, und die Erosion unseres Ökosystems könnten den Ehrgeiz fördern, in eine unwirkliche Welt zu entkommen, die ohne Probleme in einer digitalen Fantasie gelebt wird. Es ist möglich, dass dies ein weiteres Gefängnis ist, eine andere Konfiguration, die loszuwerden gilt, du eine weitere Fata Morgana. Wir müssen wieder nach innen schauen und uns mit den Geheimnissen der menschlichen Natur verbinden, dürfen uns nicht in Computer verwandeln. Authentische spirituelle Evolution hat nichts mit Eskapismus zu tun. Es lebt den gegenwärtigen Moment, das Hier und Jetzt.

Uranus durchquert seit 2018 das Zeichen Stier und wird dies bis 2026 tun. Seit einiger Zeit erleben wir große Veränderungen, seit Uranus in einem Zeichen explodiert, das hartnäckiger ist als er. Obwohl dieser Transit fast zehn Jahre dauert, mit retrograden Transiten und Spaziergängen durch andere Zeichen, stößt uns 2023 in einen fragilen Abgrund von Schicksalsereignissen, wobei in diesem Jahr zwei Finsternisse auf die Stier-Skorpion-Achse fallen.

Stier, endlich ein festes Zeichen, hasst Veränderungen, im Wesentlichen, wenn sie so schwindelerregend geschehen. Stier ist ein Zeichen, das Stille und Sicherheit liebt, aber wir werden in diesem Jahr 2023 nicht so viel genießen. Uranus ist der Planet der Unabhängigkeit, des Wandels und des universellen Geistes. Sie zerstört Ordnung, fördert empirische Perspektiven und verändert etablierte Verhaltensmuster. Wenn Uranus den Stier durchquert, können wir turbulente Veränderungen in unseren Wertesystemen, dem Bankensystem, der Art und Weise, wie wir die Ressourcen der Erde und unseren Körper nutzen, und den Konflikten, die sich auf die Sicherheit beziehen, sehen.

In dieser Periode, in der Uranus durch den Stier geht, werden sich unsere Wertesysteme absolut weiterentwickeln, und wir werden unter Druck gesetzt werden, über den Grund nachzudenken, warum wir Dinge tun, möglicherweise weil die Ergebnisse unseres gegenwärtigen Wertesystems uns wieder im Stich lassen werden. Dies kann latent jeder Facette unseres Lebens schaden, denn was wir schätzen, prädisponiert nicht nur unsere Denkweise, sondern auch unsere Entscheidungen und wie wir vorgehen.

Aus persönlicher Sicht ist es in diesem Jahr an der Zeit, Ihre Werte zu analysieren und zu analysieren, ob Sie von Ihren internen und externen Talenten voll profitieren. Ihre finanzielle Sicherheit wird in diesem Jahr aufgezehrt, um Sie zu motivieren, unabhängiger zu sein. Sie können neue und aufregendere Wege entdecken, um Geld zu verdienen, oder Sie können versteckte Fähigkeiten erkennen.

Zusammen mit Saturn und Pluto im Steinbock treibt dich dieser Transit an, etwas Solides in deinem Leben aufzubauen, das mit deinen wahren Werten übereinstimmt. Du musst tolerant sein und bereit sein, loszulassen, was du nicht brauchst. Passen Sie sich an die auftretenden Transformationen an, innovieren Sie und versuchen Sie es mit neuen Wahrscheinlichkeiten.

Wenn du dich Veränderungen widersetzt, bist du in Gefahr, denn es ist falsch, sich den notwendigen Veränderungen zu widersetzen, und mit Uranus kannst du eine Bombe in deinem Leben zünden. Je länger du Veränderungen hinauszögerst, desto übertriebener wirst du sie erleben, wenn sie endlich beginnt. Wenn du offen bist für alle Möglichkeiten, die Veränderung mit sich bringt, wirst du ein intensives Erwachen deines Bewusstseins spüren.

Uranus zerstört den Status quo und konsistente Systeme, macht es uns unmöglich, übermäßig bequem zu sein, und erinnert uns immer daran, dass nichts ewig ist. Stier möchte retten, was wir besitzen, aber Uranus wird Dinge bewegen und von uns verlangen, die Art und Weise, wie wir uns stabil fühlen, zu ersetzen.

Dies hängt mit der Art und Weise zusammen, wie wir mit der Umwelt und ihren Ressourcen umgehen. In diesem Jahr können wir endlich akzeptieren, dass der weitere Missbrauch des Planeten uns als Spezies aussterben lassen wird. Wir werden ohne ein bezahlbares ökologisches Hilfsmittel nicht existieren können, und es ist unsere Pflicht, den Planeten Erde zu schützen, wenn wir weiterhin auf ihm koexistieren wollen.

Das gegenwärtige Wertesystem nimmt den Planeten Erde als eine Ressource wahr, die ausgelöscht werden muss, aber die Folgen der Klimakatastrophe sind absurd zu vergessen. Es ist Zeit, die Rechnungen zu bezahlen, Uranus ist äußerst zufrieden mit den Kosten, die wir zahlen sollen, um eine sich entwickelnde Wirtschaft durch Plünderung unseres Ökosystems zu erhalten: Tsunamis, Vulkane und Hurrikane.

Es gibt eine globale Erwärmung, aber jeden Tag gibt es einen Mangel an Sonnenschatten. Dies bedeutet Perioden mit kälterem Wetter, die Nahrungsmittelknappheit und erhöhte Kosten verursachen, und am schlimmsten von allem, Hunger. Es wird ein schwieriges Jahr, aber es ist an der Zeit, eine ausgewogenere Struktur des Lebens in unserer Welt unter Achtung der Erde und des anderen zu schaffen.

Unabhängig davon, was mit dem Klimawandel passiert, werden wir Schließungen und Veränderungen in der Landwirtschaft und der Lebensmittelverarbeitung erleben. Es können Gesetze erlassen werden, um große Überschüsse aus landwirtschaftlichen Techniken zu begrenzen oder die Bestimmungen gerechter zu verteilen. Lebensmittelverschwendung und schädliche Ernährung müssen ebenso angegangen werden wie die Folgen des massiven Einsatzes von Düngemitteln.

Veränderungen werden weiterhin in unserer Beziehung zu Geld und Geschäft stattfinden. Wir kämpfen mit dem Zusammenbruch antiquierter Systeme, während sich die Welt in Richtung Trennung und einer Organisation multipolarer Dominanz bewegt. Dies wird durch die Katastrophe der Zentralisierung und die Werte, die sie aufrechterhalten, stimuliert. Daher ist es möglich, dass unsere Konzepte von Kapital, Geld, Eigentum und Ressourcen in Frage gestellt werden. Wir werden einen Wandel in der Art und Weise erleben, wie die Wirtschaft funktioniert und wie wir Rohstoffe schätzen.

Es könnte zu einer Staatsschuldenkrise kommen, die zu einer intensiven Untersuchung von Banken und Finanzunternehmen, Wohnungsmarktkrisen, Änderungen der Sozialversicherung und Subventionen führen könnte.

Wir werden die Bewegung in den Währungen, die wir verwenden, fortsetzen, hin zu einer bargeldlosen Menschheit. In vielerlei Hinsicht haben wir bereits eine digitale Wirtschaft, tatsächlich weigern sich viele Orte, Bargeld zu erhalten. Digitale Gelder wie Bitcoin und die anderen Optionen könnten zu finanziellen Kapitalgesellschaften erklärt werden, was sie zweifellos in Bankunternehmen verwandelt. Eine bargeldlose Gesellschaft würde jedoch mehr Kontrolle und weniger Autonomie bedeuten. Sie können Systeme implementieren, die exzellent erscheinen, aber dann zu einer Falle werden. Digitale Auszahlungen sind für Unternehmen bequem zu manipulieren, aber sie sind ein Einfallstor zu Betrügereien und Hacking. Die bestehende Technologie ist jedoch aufgrund ihres umfangreichen Energiebedarfs umweltschädlich und erfordert lange Zeiträume für die Überprüfung jeder Transaktion.

Egal was passiert, das einzige, woran du dich erinnern musst, ist, dass in diesem Leben nichts kostenlos ist, das heißt, alles hat einen Preis. Seien Sie vorbereitet, denn die Finanzmärkte werden instabiler sein als sonst, also spekulieren Sie nicht auf das, was Sie sich nicht leisten können.

Es besteht die Möglichkeit der Erweiterung in den "Zeitbanken", wo die Kollektive mit ihren Fähigkeiten und Fähigkeiten zusammenarbeiten und sich gegenseitig unterstützen, ohne dass das Geld von einer Hand in die andere übergeht. Wir können unsere Ressourcen mit Ausrüstungsverleihern teilen, analog zu einer Buchhandlung, wie einem Hammer, einem Rasenmäher oder der Anmietung eines Fahrzeugs, anstatt eines zu haben. Wir werden auch das Wachstum von Spar- und Kreditverbänden und die Praxis der Finanzierung eines Projekts oder Unternehmens sehen, indem viele kleine Geldbeträge von vielen Menschen gesammelt werden, normalerweise über das Internet und Online-Shopping.

Unsere Häuser werden sich weiterhin mit intelligenter Technologie füllen, es wird viele Fortschritte in der virtuellen Realität und im Online-Gaming geben, und wir könnten mehr tragbare Technologie verwenden.

Die Transite von Uranus sind schwer vorherzusagen, das Einzige, was zu sagen bleibt, ist, dass Sie das Unerwartete erwarten. Der letzte Transit-Uranus im Stier, der von 1935 bis 1942 stattfand, fiel mit der Weltwirtschaftskrise und dem Zweiten Weltkrieg zusammen, einer Zeit beispielloser katastrophaler Armut, die alle Stierkampfprobleme beseitigte. Als Uranus Mitte des Jahrhunderts durchquerte, führte eine instabile landwirtschaftliche Nutzung zu Hungersnöten und einer Klimakrise, die Millionen von Menschen bewegte.

Die Detonation des Zweiten Weltkriegs schuf eine neue Version von Frauen, ohne Ligaturen und ohne Rädelsführer, diese neue Linie diente einem Ideal über dem Familienwohl und schuf ein innovatives und transformiertes Denkmal von Prototypen.

Stier ist das Zeichen der Macht und hat daher viele Möglichkeiten, nicht nur Helden, sondern auch Tyrannen zu erschaffen. Die letzte Exkursion von Uranus erlebte das Erscheinen der schlimmsten Diktatoren des zwanzigsten Jahrhunderts, hier angeworben Mussolini, Hitler und Mao Zedong.

Uranus entdeckt bei seiner Bewegung einen ungewöhnlichen Widerstand. Diese totale Metamorphose schadet nicht nur dem Geld, sondern auch jedem Aspekt Ihres Geldes, einschließlich Ihres Hauses, Ihres Berufs oder Ihres Eigentums.

Wenn Uranus in einem Zeichen durchquert, verstehen die Menschen, dass sie nicht wussten, wie gefangen sie lebten. Es ist wie Freiheit vom Leben in Haft. Bis die Mauer durchbrochen ist, gewöhnt man sich an die Enge. Seit 2018 zeigt er uns, wie eingesperrt wir sind.

Release kann sich auf Kreditkartenschulden, Hypotheken oder das Steuersystem beziehen. Es hängt mit den enorm teuren Kosten der Häuser oder Wohnungen zusammen, in denen wir leben. Etwas ist garantiert, es gibt eine Menge Spannungen, und kein Regime, das die zerschlagene Mehrheit erhält, überlebt einen Transit von Uranus.

Uranus ist mit der französischen, industriellen und amerikanischen Revolution verbunden, da es 1781 entdeckt wurde, einem wichtigen Jahr für diese Ereignisse. Wir werden die globale wirtschaftliche Revolution fortsetzen. Dies begann klein, kehrt aber jetzt mit Kraft zurück, wenn Uranus durch den Stier zieht.

Schließlich, weil wir Frauen sind, die dieses Jahrbuch schreiben, und zu Ehren all jener Frauen, die gehandelt, missbraucht, inhaftiert, ihnen die Abtreibung verweigert wird, wenn sie vergewaltigt und diskriminiert werden, werden wir Erfolg haben. Uranus wird mit Feminismus in Verbindung gebracht, es beschreibt die Befreiung von jedem, der gefesselt oder inhaftiert ist, und Frauen sind nicht Teil des globalen Handelsestablishments. WIR SIND KEINE WARE.

***Saturn** wird am 7. März vom Wassermann zu den Fischen gelangen und uns dazu drängen, loszulassen und zu fließen. Pluto und Saturn, die sich so im Gleichklang verändern, werden einen gigantischen energetischen Vulkan bringen und garantiert eine gut markierte und unvergessliche Zeit sein.*

Saturn ist in Fische nicht zufrieden. Es fällt ihm schwer, Strukturen zu finden und Realität zu konstruieren, wenn sich alles bewegt. Fische ist ein duales Zeichen, so dass es auf entgegengesetzte Weise ausgedrückt werden kann; Es kann das gleiche transzendente sein, wie praktisch. Es besteht die Möglichkeit, dass Saturn im Zeichen Fische den Bau von Formen über oder unter Wasser anzeigt oder Wasser dominiert, wie Leitungen, Aquädukte und Häfen. Es kann aber auch den Einsturz dieser Strukturen aufgrund von Hurrikanen oder struktureller Fragilität aufdecken.

Der Archetyp der Fische steht im Widerspruch zu Saturn. Es repräsentiert Utopie, Kreativität, Spiritualität und Esoterik sowie Träume, Illusionen, Lügen und Eskapismus. Es symbolisiert das Bestreben, wie das Meer zu fließen und Grenzen und Einschränkungen aufzuheben.

Das letzte Mal, als Saturn im Wassermann war (1991-1994), wurden die Vereinigten Staaten in den geführten Golfkrieg verwickelt, während Kroatien für Autonomie kämpfte. George Bush Sr. war Präsident der Vereinigten Staaten, und Jeff Bezos gründete Amazon.

Die Straßen von Los Angeles wurden gestürmt, nachdem Polizeibeamte begnadigt wurden, weil sie Rodney King, einen schwarzen Bürger, misshandelt hatten, *was die Kette der Black Lives Matter-Proteste und die Wut über den Tod von George Floyd durch Polizisten im Mai 2020 manifestierte.*

Der letzte Transit von Saturn in Fische war von Mai 1993 bis April 1996, zeitgleich mit dem Saturn - Neptun-Sextil von 1995-1996 und der Konjunktion Uranus - Neptun im Jahr 1993. Diese Phase sah die Ergebnisse des Zusammenbruchs der Sowjetunion im Jahr 1989, der Fortsetzungen auf der ganzen Welt verursachte und die russische Wirtschaft zerstörte. Russland begann 1994 den ersten Tschetschenienkrieg, der bis 1996 dauerte.

Der Internationale Strafgerichtshof für das ehemalige Jugoslawien wurde im Mai 1993 in Den Haag gegründet, um Kriegsverbrechen zu verfolgen, die während der jugoslawischen Kriegsparteien in den frühen 1990er Jahren begangen wurden. Auf der anderen Seite breitete sich der Bosnienkrieg zwischen Kroaten, Bosniern und Serben mit Grausamkeiten und ethnischen Säuberungen und verschiedenen Hinrichtungen aus. Der

Krieg endete 1995, und die meisten bosnisch-serbischen Kommandeure wurden wegen Völkermord und Verbrechen gegen die Menschlichkeit angeklagt.

1994 begann der Völkermord in Ruanda, als Hutu-Banden mehr als 700.000 Tutsis ermordeten und unzählige Frauen während des Massakers, das im Juli endete, vergewaltigt wurden.

Die Krise der Abrüstung des Irak nach dem Ende des ersten Golfkriegs war auf ihrem Höhepunkt mit viel Lärm und ohne Vertrauen unter den Beteiligten.

Eine Sekte in der Schweiz, die als "Order of the Solar Temple" bezeichnet wurde, führte eine Reihe von Massenverbrechen und Selbstmorden durch, und hier in den Vereinigten Staaten ermordete Timothy McVeigh 168 Menschen bei dem Bombenanschlag in Oklahoma City. In diesem Transit von Saturn durch Fische war, als O.J. Simpson wegen des Mordes an seiner Ex-Frau und seinem Freund verhaftet und nach einem umfangreichen Prozess, der ein Hollywood-ähnliches Spektakel war, freigelassen wurde. In London wurde Fred West und seine Frau Rose inhaftiert, nachdem sie in ihrem Hinterhof die Leichen mehrerer Mordopfer geborgen hatten.

Südafrika hatte seine erste multirassische Untersuchung, und Nelson Mandela wurde zum Präsidenten gewählt und schaffte später die Todesstrafe in diesem Land ab.

Russland und China unterzeichneten ein Abkommen, um sich nicht mehr gegenseitig mit ihren Atomwaffen zu provozieren, und der Vertrag über die "nukleare Nichtverbreitung" wurde endlos um 170 Länder erweitert. In Australien wurde vereinbart, indigene Völker zu entschädigen, die in den 1950er und 1960er Jahren bei Atomtests vertrieben wurden.

Andere Ereignisse während des Saturntransits in Fische sowie die Konjunktion von Saturn und Neptun umfassen religiöse Strömungen, ideologische Bewegungen. wie Sozialismus und Linke, die Übertragung von Krankheiten und Ansteckungen, destruktives Verhalten, das durch

Panik ausgelöst wird, eine Zunahme des Drogenkonsums und die Entwicklung aller Arten von Kunst sowie maritime Transportmittel.

Saturn in Fische wird sicherstellen, dass wir Spiritualität oder Angst nicht nutzen können, um bestimmte Konflikte zu vermeiden, denen wir uns stellen müssen. Wir können meditieren, hundert Jahre in Tibet verbringen und die mächtigsten Mantras des Universums anwenden, aber irgendwann müssen wir auch handeln.

In den letzten Jahren, in denen Saturn den Wassermann durchquert hat, war es notwendig, sich auf Individualität zu konzentrieren und authentischer zu sein, anstatt den Zwang der Menschen um uns herum zu tolerieren. Obwohl Wassermann ein Zeichen ist, das dafür bekannt ist, revolutionär zu sein und nach seinem eigenen Rhythmus zu tanzen, weil es beim Saturn um Grenzen geht, hat er uns dazu gebracht, allein mit uns selbst zu sitzen (erinnern Sie sich an die Einschränkungen während der Pandemie) und zu schauen, wo wir stehen können, um gesündere Grenzen zu schaffen.

All diese Lektionen bereiteten uns auf das vor, was mit Saturn in Fische vor uns liegt. Neptun ignoriert die Details und lässt Sie glauben, dass die Eigenschaften eines Sternzeichens besser sind als sie sind. Saturn handelt in die entgegengesetzte Richtung. Neptun gibt uns die Fähigkeit zu fantasieren, aber Saturn interessiert sich für das Hier und Jetzt, das Greifbare. Aus diesem Grund werden wir anfangen, sensibler zu sein, wie wir Spiritualität in unser tägliches Leben einbringen können, während wir ein Verständnis dafür bewahren, wie wir uns selbst strukturieren können. Viele Menschen werden Religionen oder Dogmen aufgeben oder in Frage stellen.

Da Fische und Neptun das Unterhaltungsgeschäft betreiben, werden große Studios und Plattenfirmen schließen, und viele Künstler, die mit diesen Studios verbunden waren, werden sich entscheiden, ihre eigenen zu gründen.

Wenn Sie ein Künstler sind, werden Sie Ihre Arbeit vorteilhaft einsetzen wollen, anstatt die großen Unternehmen an der Spitze die Dividenden genießen zu lassen.

Das Interesse an Spezialeffekten und eine stärkere Orientierung an eigenständigen Filmen und Themen, die den Alltag widerspiegeln, werden nachlassen. Wir werden die Schönheit um uns herum zu schätzen wissen, und wir werden weniger von Glamour motiviert sein.

Natürlich gibt es viele, die diese Zeit nicht genießen werden, darunter religiöse Führer und diejenigen, die Verschwörungstheorien fördern. Wir werden Konflikte zwischen Individuen unterschiedlicher Religionen sehen und viele Tendenzen, zu versuchen, das zu dominieren, was andere glauben wollen. Wir müssen akzeptieren, dass, nur weil andere nicht mit unseren Überzeugungen übereinstimmen, dies nicht bedeutet, dass Sie falsch liegen. Es zeigt einfach, dass ihre Ansichten unterschiedlich sind, denn am Ende des Tages befürwortet Fische die Inklusion. Etwas, das uns fehlt.

Es ist besonders wichtig, dass diejenigen von uns, die Spiritualität praktizieren, nicht über die Art und Weise verfügen, wie andere Spiritualität nutzen. Die Fähigkeit zu haben zu arbeiten und bestimmte Energien zu kennen, bedeutet nicht, dass du über anderen stehst. Saturn ist hier, um dich daran zu erinnern.

Während Saturn durch Fische reist, müssen Sie, wenn Sie eine Meinung abgeben wollen, mit Beweisen, dass Sie die Wahrheit sagen, das Spiel des Lesens von Nachrichten im Internet oder des Teilens von Bildern, die nicht gültig sind, ist vorbei.

Andere Menschen, die Saturn in Fische wirklich ablehnen werden, sind illegitime Gurus. Es gibt viele falsche Gurus, die es lieben, Menschen auszunutzen. Es ist wichtig, sich daran zu erinnern, dass Saturn nicht nur der Planet des Karmas ist, sondern auch der Ernsthaftigkeit und Vernunft.

Karma neigt oft dazu, als etwas Böses angesehen zu werden, aber zu ernten, was man sät, ist nicht schlecht, wenn man sich gut benommen hat. Wir werden viele Manipulatoren und falsche Propheten fallen sehen.

Saturn transitiert am 7. März dieses Jahres 2023 zu Fischen, wo er in diesem Zeichen mehr als zwei Jahre dauern wird, bis er am 25. Mai 2025 zum Widder übergehen wird. Dann wird es von September 2025 bis zum 13. Februar 2026 wieder zu Fischen zurückgehen.

Jupiter wird bis zum 16. Mai im Widder sein, was uns einen Schub gibt, um neu anzufangen, und wenn er sich am 17. Mai Uranus im Zeichen des Stiers anschließt, wird er mehr Möglichkeiten erzwingen, um das zu ersetzen, was wir für unsere Sicherheit brauchen.

Widder ist der Ort, an dem Jupiter seine Kriegerseele entblößt, die bereit ist, Fehler, um jeden Preis zu reparieren. Widder bedeutet Neuanfang.

Jupiter im Widder bittet Sie, andere nicht für Sie entscheiden zu lassen. Er möchte, dass du kämpfst und deinen Weg zu deinen Zielen ebnest. Mit diesem planetarischen Transit seid ihr verpflichtet, die Initiative zu ergreifen.

Einige Leute fühlen sich wohl mit einer Niederlage, aber mit Jupiter und Chiron im Widder ist Aufgeben keine Option, weil wir auf diese Welt gekommen sind, um zu kämpfen und zu gewinnen.

Jupiter im Widder gibt dir Kraft, damit du dich ausdrücken und dein Bedürfnis bekräftigen kannst, der Erste zu sein. Erweitern Sie Selbstvertrauen und Mut, damit Sie Ihre Ziele erreichen können. Diese ersten fünf Monate sind spektakulär für Sie, um Ihrer Intuition zu folgen und die sich bietenden Möglichkeiten zu nutzen.

Da es so viel Energie gibt, dass du dich unruhig fühlen kannst, musst du vorsichtig sein, denn wenn du dich zu sehr anstrengst, kannst du ungeduldig werden, und du kannst dich in Probleme verstricken, wenn du Dinge tust, ohne nachzudenken. Atmen Sie tief durch und zählen Sie gegebenenfalls bis zwanzig, bevor Sie Entscheidungen treffen. Widder eignet sich hervorragend für den Start neuer Projekte, aber es besteht die

Möglichkeit, dass Sie sie nicht erfüllen, du Sie werden sie auf halbem Weg verlassen.

Die letzte Periode, in der Jupiter durch den Widder zog, war vom 6. Juni bis 9. September 2010 und vom 22. Januar bis 4. Juni 2011. Dieser Transit wurde mit dem Quadrat von Uranus - Pluto kombiniert, während Uranus auch durch Widder durchquerte. Es war eine turbulente Zeit und es gab viele Leute, die Kontroversen begannen.

In dieser Zeit geschah der sogenannte "Arabische Frühling", die ägyptische Revolution setzte sich fort, und der erste libysche Bürgerkrieg löste einen Anstieg der Ölpreise aus, der zu einer Energiekrise führte. Der Krieg in Syrien breitete sich ebenfalls aus, einschließlich einer Bürgerrevolution und Anti-Assad-Demonstrationen. Israels Verteidigung behinderte zum ersten Mal eine Kurzstreckenrakete, die aus Gaza abgefeuert wurde, und Osama bin Laden wurde in einer geheimen amerikanischen Militäroperation getötet. Wikileaks veröffentlichte Dokumente über den Krieg in Afghanistan und veröffentlichte seine Aufzeichnungen über Guantanamo Bay. Solar Impulse, ein Schweizer Projekt, beendete seinen ersten 24-Stunden-Flug und war damit das erste Mal, dass ein Flugzeug mit Solarenergie gereist ist.

Während dieses Transits von Jupiter durch Widder gab es ein Dutzend Flugzeugabstürze auf der ganzen Welt, mehrere Ölverschmutzungen, darunter eine im Roten Meer, die die beeindruckendste in Ägypten war. Es gab auch die Ölpest in Red. Butte Creek in den Vereinigten Staaten, die durch den Bruch eines Rohres verursacht wurde.

Es gab mehrere tödliche Erdbeben, zwei in Neuseeland und ein intensives, das Japan erschütterte und einen Tsunami auslöste, der Tausende von Menschen tötete und Tausende von Menschen tötete. Ausnahmezustand in mehreren Kernkraftwerken. Einige Vulkane wurden auch aktiviert, um Reisen in Südamerika zu verhindern.

Vor diesem Transit befand sich Jupiter vom 12. Februar bis 27. Juni 1999 und vom 22. Oktober 1999 bis zum 14. Februar 2000 im Widder.

Es gab viele Konflikte und Morde, einige Erdbeben, Flugzeugkatastrophen und katastrophale Wetterbedingungen. Die Planung von Bill Clintons Amtsenthebung begann am selben Tag, an dem Jupiter in das Zeichen des Widders eintrat. Der Kosovo-Krieg spitzte sich zu, als die NATO-Luftangriffe gegen die Republik Jugoslawien startete, was das erste Mal war, dass ein unabhängiger Staat von der NATO angegriffen wurde.

Nigeria beendete die Militärherrschaft mit dem Beginn der vierten nigerianischen Republik, David Copeland zündete Bomben in London, zwei Schüler ermordeten ihre Klassenkameraden und Lehrer kaltblütig beim Massaker an der Columbine High School in den Vereinigten Staaten, und die Raumfähre Discovery wurde zum ersten Mal in der Geschichte an die Internationale Raumstation angeschlossen.

Wenn wir uns diese Zeiten ansehen, können wir eine Vorstellung davon bekommen, was dieser Transit uns bringen kann.

Aus persönlicher Sicht ist es wichtig, diese fünf Monate zu nutzen, diese Energie zu nutzen, wenn Sie sich beeilen, unserer Intuition zu folgen und neue Projekte zu starten, um sie Wirklichkeit werden zu lassen.

Jupiter debütiert am 17. Mai 2023 im Stier. Dies wird ein bewegender Moment in der Weltfinanzgeschichte sein, da wir nicht nur Jupiter, den expansiven und Wohltäter, haben werden, sondern auch Uranus, den Herrscher der Unabhängigkeit und Revolution, im Zeichen von Geld, Eigentum und Großgeschäft.

Mit dem Neumond am 19. Mai im Stier kommen viele Veränderungen, nach diesen ersten stürmischen Monaten werden Mai und Juni 2023 karmisch als Zeichen für etwas Neues geschätzt.

Jupiter ist der glücklichste aller Planeten, er hat die Popularität, Glück und Reichtum zu bringen. Mit Jupiter können wir nicht nur unseren Reichtum, sondern auch unseren Geist erweitern. Dieser Planet ist mit dem höheren Geist, der Philosophie und der Religion verbunden und bietet uns immer die Möglichkeit, die Welt durch eine klare und saubere Linse zu sehen.

Jupiter treibt das Denken an, und Stier ist das statischste Zeichen. Wenn sie gekoppelt sind, erinnern sie uns daran, dass die Lösungen, nach denen wir fragen, in uns sind. Spiritualität ist immer in uns gegenwärtig, aber mit den Ablenkungen des täglichen Lebens ignorieren wir sie leicht. Mit diesem Transit erhalten wir die Möglichkeit, diese Ablenkungen zu überwinden und von der natürlichen Weisheit zu profitieren, die immer in uns verborgen war.

Es gibt ein entspannendes Gefühl, aber gleichzeitig eingeschränkt, wenn sich Jupiter übertrieben auf den praktischen Stier zubewegt. Jupiter ist immer bereit, sich zu vergrößern, aber Stier neigt dazu, dieser astralen Kombination Unbeweglichkeit hinzuzufügen. Jupiter hat allgemeine Ziele, aber Stier verzögert die Dinge in einem objektiveren und ausgewogeneren Tempo.

Wenn wir diese Energien richtig einsetzen, gibt es keinen Grund, entmutigt zu sein, denn Jupiter im Stier ist die perfekte Gelegenheit, unsere Träume wirklich wahr werden zu lassen, oder ein langfristiges Ziel. Während dieser Zeit haben wir den Wunsch nach Expansion von Jupiter und die Geduld und Ausdauer von Stier. Das motiviert uns, an unsere Projekte zu glauben und Erfolge zu erzielen. Unser Leben kann während Jupiters Transit durch den Stier äußerst erfolgreich sein, da Stier über Reichtum herrscht und Jupiter viel Glück hat. Diese Kombination kann dazu führen, dass wir unsere wirtschaftliche Situation analysieren und nach Wachstumschancen suchen.

Es ist wichtig, während dieses Transits verantwortlich zu sein, denn die negative Seite des Stiers ist, dass er Vergnügen und Genuss mag, und wenn ein so weitläufiger Planet wie Jupiter mit einem Zeichen in Beziehung tritt, dass das Vergnügen übertreibt, können wir unsere Bedürfnisse mit Launen verwechseln. Wir müssen uns verpflichten, während dieses Transits geduldig und vorsichtig mit unseren Wünschen umzugehen.

Wenn der überschwängliche Jupiter rückläufig durch den Stier reist, werden wir seinen festen und zurückgezogenen Teil spüren. Wenn sich

Jupiter in seiner rückläufigen Spanne rückwärts bewegt, werden wir ermutigt, langsamer zu werden und uns zu fragen, was wir sind, wo sind wir und wohin gehen wir?

Daher werden wir während der Zeit, in der Jupiter im Stier rückläufig ist, unsere Ziele analysieren und bewerten und darüber nachdenken, ob die Projekte, in die wir die Zeit investieren wollen, für uns angemessen sind und ob wir es richtig machen. Wird das Ergebnis Sie glücklich und erfüllt machen? Diese Frage ist schwierig, aber die Antwort ist entscheidend. Der rückläufige Transit von Jupiter durch Stier ist die perfekte Gelegenheit, unsere Ziele zu klären und zu stärken, auf diese Weise werden wir einen vernünftigen und sicheren Weg finden, bevor wir vorwärts gehen.

Mars wird in diesem Jahr viele Zeichen passieren, aber Anfang 2023 wird es in Zwillingen sein, genauer gesagt bis zum 16. März 2023. Dieser Transit ist von Bedeutung, weil er uns Verspätungen, Annullierungen und Schließungen bringt, die staatliche Fluggesellschaften, öffentliche Verkehrsmittel, Autoreisen und lokale Exporte umfassen.

Wir dürfen nicht vergessen, dass Mars in Zwillingen uns im Jahr 2008 durch den Beginn von Pluto im Steinbock transportiert hat und uns Anfang dieses Jahres 2023 wieder transportieren wird. Wir werden in diesen Monaten sehr merkwürdige Ereignisse erleben. Das letzte Mal gab es die Rezession, die seit 2007 mit der Krise der Hypothekenderivate begonnen hatte und 2008 voranschritt, als die Aktienmärkte sanken und eine globale Wirtschaftskatastrophe verursachten.

Das ist die Atmosphäre, die Anfang dieses Jahres stattfinden wird. Zu Beginn des Jahres 2023 haben wir Mars in Zwillingen, gerade als Pluto das Ende des Steinbocks erreicht und beginnt, sich in Wassermann zu verwandeln, und seltsamerweise geschieht dies zur gleichen Zeit des Jahres.

Mars in Zwillingen ist kein negativer Transit, da er unserem Geist viel Energie geben könnte, aus diesem Grund werden wir schneller und klüger denken. Dies ist eine gute Gelegenheit, neue Fähigkeiten zu sammeln, zu studieren, Informationen zu sammeln und zu verbreiten.

Sie müssen vorsichtig sein, denn Zwillinge sind ein sehr unruhiges Zeichen, Sie können sich neurasthenisch fühlen und Sie können Ihre Energien zerstreuen, indem Sie versuchen, mehrere Dinge gleichzeitig zu tun oder Ihre Meinung jede zweite Minute zu ändern. Hacking ist ein weiterer Ausdruck von Mars in Zwillingen; Dies kann sich durch Computer und Telefone manifestieren. Das Beste ist also, dass Sie bis zum 16. März 2023 eine Kopie von allem machen und keine E-Mails öffnen oder Anrufe annehmen, die Sie nicht kennen. Hacker sind heute überall präsent, aber seien Sie nicht überrascht, wenn dies weitreichende globale Auswirkungen hat.

Ein weiterer Nachteil des Mars im Zeichen Zwillinge ist, dass er sich im Januar 2023 mit dem rückläufigen Merkur verbindet. Wir beginnen das Jahr also mit viel Verwirrung, und es wird Wochen dauern, bis die Probleme gelöst und die Verwirrung beseitigt sind. Mars retrograde allein ist verwirrend, besonders in Zwillingen. Addiert man dazu das Quadrat von Neptun zur Kombination, und das Ergebnis ist eine Komposition realer oder fiktiver Unsicherheiten. Daher können wir neben den Problemen mit den Kosten für Benzin und Lebensmittel die Verbreitung von Lügen mit Mars in Zwillingen und Neptun in Fischen hinzufügen, die überall gefälschte Nachrichten verbreiten. Übertriebene falsche, gefälschte und betrügerische Informationen werden außer Kontrolle geraten und wir werden eine Welle der Hysterie erleben. Sei vorsichtig in dem, was du vertraust.

Mögliche wichtige Ereignisse des Jahres 2023
In China kann etwas Großes passieren.

Zwischen dem 29. Juli 2023 und dem 17. August 2023, wenn der Nordknoten bei 28 ° des Widders, Neptun bei 27 ° der Fische und Pluto bei 28 ° Steinbock gefährlich durchquert. Stärkere Mächte als China könnten die Macht übernehmen.

Der endgültige Transit von Pluto, was die Transformation der Macht bei 28° bedeutet, einem kritischen Punkt des Steinbocks, der archaischen Systeme, die sich nach seiner Diskontinuität sehnen, ist am 28. Juli 2023 bis zum 19. September 2023, wenn die Mondknoten zu alten Orten der Feindseligkeit übergehen, an denen Italien, Deutschland und Japan beteiligt sind.

China hat in seinem Geburtshoroskop den Planeten Uranus bei 28° Steinbock, das Zeichen, das die Regierung und die Weltordnung regiert, sein Geburtsmond ist bei 21° des Stieres, das Zeichen, das Geld und Wirtschaft regiert. Infolgedessen ist zwischen November und Dezember 2023 ein radikaler Wandel im chinesischen Finanzsystem zu beobachten.

Zwischen März und Juni 2023 wird es einen dramatischen Konflikt im US-Wirtschaftssystem geben, in den die Wall Street und ein großer Finanzmagnat verwickelt sein werden. Die Euro-Währung und die Europäische Union werden im gleichen Zeitraum eine historische Metamorphose durchlaufen.

Karl III. wird nach seiner Besteigung nicht zur Krönung gehen oder den Thron abdanken. Das Wirtschaftssystem des Vereinigten Königreichs wird allmählich durch etwas Zweckmäßiges ersetzt werden.

Die Rezession wird um Juli 2023 enden, wenn die Mondknollen die Zeichen Stier bzw. Skorpion aufgeben. Wir werden etwas Trost haben, wenn Jupiter am 17. Mai 2023 den Stier durchquert.

Von Januar bis März 2023 wird es aufgrund des Transits des Mars im Zeichen Zwillinge zu wenig Benzin und einem enormen Anstieg der Kosten geben. Ein bedrohliches und tragisches Ereignis kann jemanden entlarven, der im Schatten stand. England und Frankreich mögen mehr Konflikte haben, aber jetzt beginnt ein umfangreicher, besonders jetzt, da das Vereinigte Königreich einen neuen Premierminister hat.

Nach März 2023 besteht die Möglichkeit, dass wir wieder unter Quarantäne gestellt werden, weil es eine neue Variante des Coronavirus geben wird, dass Impfstoffe dafür nicht wirksam sein werden. Der Saturnzyklus in Fische ist eine kritische Situation, da Saturn vom 8.

März 2023 bis zum 14. Februar 2026 in Jungfrau sein wird. Jedes Mal, wenn dieser Zyklus stattfindet, gibt es Gesundheitskrisen. Das letzte Mal, als Saturn in Opposition zur Jungfrau durch Fische zog, sahen wir, wie AIDS zu einem globalen Henker wurde. Wenn der Vollmond passiert und Saturns neuer Zyklus im März 2023 beginnt, können Affenpocken zu einer Pandemie werden.

Das Problem mit Viren sind Menschen, die die Präventionsmaßnahmen nicht eingehalten haben, und viele befallene Träger sagen dies nicht, weil die Wirtschaft wichtiger ist als Menschenleben. Wir werden erfolgreiche Sozialklagen gegen Unternehmen sehen, die vertuscht haben, was sie über COVID-19 wussten.

In Bezug auf die Ukraine vom 11. bis 18. Februar wird 2023 ihren Krieg mit den Russen beenden. Im August 2023 gibt es viele Transite, die 27° oder nahe an diesem Grad erreichen. Pluto wird 28° im Steinbock sein. Neptun bei 27° in Fische, der Nordknoten bei 27° im Stier und der Südknoten bei 27° im Skorpion. Da die Ukraine ihren planetarischen Stier/Wassermann-Konfigurationen mobilisieren wird, deutet dies auf eine legendäre Konvention hin, die ihre Verbündeten der Vereinten Nationen, der Europäischen Union und der NATO einschließt.

Uranus bedeutet im Stier eine Transformation der Weltwirtschaft. Pluto im Steinbock ist eine Erschütterung im globalen Status. Dies ist das Ende des russischen Finanzsystems, und natürlich ist es die scharfe Renaissance der Ukraine.

Anfang 2023, wenn Pluto bereits seine letzten Steinbockgrade erreicht, werden wir Nachrichten über große Unternehmen wie Facebook, YouTube, Amazon und Twitter lesen. Auch viele Konflikte mit Kryptowährungen. Etwas wird mit den Tycoons dieser Konzerne passieren.

Alle Aspekte, die Ende Oktober 2023 stattfinden, in denen es einen Vollmond und eine Sonnenfinsternis in der Achse von Stier – Skorpion gibt, deuten auf eine Transformation des Kräfteverhältnisses zwischen Ländern und Märkten hin.

Glücklicherweise wird nach November Optimismus herrschen, wenn Jupiter durch das Zeichen des Stiers geht und Pluto schließlich seinen langen Aufenthalt im Zeichen des Steinbocks, dem Zeichen der Herrscher und großen Geschäftsleute, beendet. Dies verspricht, dass 2024 drastisch anders sein wird.

Das Ende des Jahres 2023 wird es als die letzte Stufe einer Beziehung mit Inkompatibilitäten betrachten, wobei die Venus den ganzen Dezember über durch das Zeichen des Skorpions durchquert. Ein Ende bringt jedoch immer Anfang, und das Jahr 2024 wird ein angenehmer Anfang, wirtschaftlich und persönlich.

Mit Pluto aus dem Zeichen Steinbock, großen Konzernen und politischer Macht werden wir enormen Trost empfinden. Seit 2008 leben wir von der Ausbeutung von Macht durch Individuen und Strukturen an der Spitze.

Pluto bringt immer den Abriss, und das wird er auch. Es ist schon einmal passiert. Wir werden Zeuge werden, wie die Macht der Nation die Macht der Konzerne und Regierungen ersetzt. Das ist die Verheißung von Pluto im Zeichen Wassermann. Im Moment besteht die Möglichkeit, dass die neue Gemeinschaft und Banken, die digitales Geld verwenden, zu einem Standardsegment des Lebens werden. Die Autorität der Finanziers der Regierung wird im Januar 2024 untergegangen sein.

Frohes neues Jahr 2023!!

Rückläufige Planeten 2023

Planeten und Himmelskörper scheinen sich eine Zeit lang am Himmel rückwärtszubewegen und gelten als rückläufig. "Es scheint" ist hier das Schlüsselwort, denn technisch bewegt sich kein Planet rückwärts in seiner Umlaufbahn um die Sonne. Tatsächlich verlangsamen sie sich nicht einmal.

Rückläufige Zyklen sind Illusionen, die sich aus unserem Blick von der Erde ergeben, weil die Erde auch die Sonne mit einer anderen Geschwindigkeit umkreist als die anderen Planeten.

Wenn die Planeten rückläufig sind, drehen sich ihre Energien nach innen. Sie werden oft stärker empfunden, es gibt etwas in den Energien des Planeten, dass er verborgen hält. Es kann Schüchternheit, Unbehagen oder Unbeholfenheit geben, die Energie des Planeten auszudrücken.

Rückläufige Bewegungen verzögern die Dinge. Diese Art der Bewegung bedeutet, dass ein Planet den gleichen Punkt bis zu dreimal *passiert, wodurch das Problem dieses Planeten verstärkt wird. Es gibt drei Fristen, um die Herausforderung oder den Vorteil dieses Transits zu verstehen. Beim ersten Mal ist die anfängliche Krise spürbar; in der zweiten, wenn der Planet zurückgeht, wächst die Unterscheidung und die Aktivität beginnt; Wenn der Planet wieder voranschreitet, ist die Krise gelöst, das heißt, die Lösung wird gefunden.*

Rückläufige Perioden - Merkur 2023
Merkur braucht 88 Tage, um eine vollständige Umdrehung um die Sonne zu machen. Merkur ist 3 oder sogar 4-mal im Jahr rückläufig und die Retrogradation dauert etwa 3 Wochen.

Da Merkur der sonnennächste Planet ist, ist seine Umlaufbahn viel kürzer als die der Erde. Etwa drei- oder viermal im Jahr zieht Merkur über die Erde, und dann erleben wir die "rückläufige Merkurperiode".

Merkur symbolisiert den Austausch von Informationen, Gedanken, Handelsbeziehungen, Reisen, Transport und Kommunikation. Quecksilber regelt alle Arten der Kommunikation, einschließlich Hören, Sprechen, Lernen, Lesen, Bearbeiten, Recherchieren, Handeln, Verkaufen und Kaufen. Wenn dieser Planet zurückgeht, neigen diese Gebiete dazu, außer Kontrolle zu geraten. Warum passiert das? Wenn ein Planet astrologisch zurückweicht, befindet er sich in einem Ruhezustand. Während Merkur Urlaub macht, profitieren die von ihm beherrschten Gebiete daher nicht in der gleichen Weise, wie sie es wären, wenn ihre Bewegung direkt wäre.

Rückläufiger Merkur im Jahr 2023
*Rückläufig **1.** Januar, Steinbock 23°17 - **18. Januar**, Steinbock 08°*

Direkt 18. Januar, Steinbock 08°9 - 21. April, Stier 15°

*Rückläufig **21. April**, Stier 15°24 - 15. Mai, Stier 05°*

Direkt 15. Mai, Stier 05°10 - 23. August, Jungfrau 21°

*Rückläufig **23. August**, Jungfrau21°23 - **15. September**, Jungfrau 08°*

Direkt 15. September, Jungfrau 08°8 - 13. Dez., Steinbock 08°

*Retrograde **13**. Dezember, Steinbock 08°19 - **1. Januar**, Schütze 22°*

Treffen Sie keine wichtigen Entscheidungen, wenn Merkur rückläufig ist. Wie auch immer, in diesen Zeiträumen materialisiert sich nichts, es ist fast unmöglich, dass ein Plan erfolgreich ist. Diese Phasen gelten als schlechter Zeitpunkt, um neue Projekte zu starten, auch wenn sie nichts mit Kommunikation zu tun haben. Ebenso ist diese rückläufige Zeit nicht gut für die Unterzeichnung von Verträgen oder sogar für den Abschluss neuer Vereinbarungen Gehen Sie keine Risiken ein, die Sie verschieben können. Sie sollten es vermeiden, Mietverträge zu unterzeichnen, Häuser zu kaufen oder zu heiraten. Mündliche Nebenabreden stehen schriftlichen Vereinbarungen gleich.

Perioden rückläufiger Merkurschatten

*Wenn sich Merkur seinem Veränderungspunkt nähert, wird er an dem Tag, an dem er rückläufig wird, einen Weg einschlagen, den er später in den kommenden Wochen am Himmel zurückverfolgen wird. Die zwei- oder dreiwöchige Periode vor dem rückläufigen Merkur wird als "**Schattenperiode" bezeichnet.** Wenn Sie während dieser Schattenperiode etwas Wichtiges beginnen, das heißt, in der Zeit, bevor Merkur zurückgeht, können Sie immer noch stolpern.*

Versuchen Sie, sich etwas Zeit zu nehmen und warten Sie ein paar Tage oder noch besser, zwei Wochen ab dem Datum, an dem Merkur direkt beginnt, zur Sicherheit. Es lohnt sich nicht, sich zu beeilen, Dinge zu tun, bevor Merkur zurückgeht.

Warten ist immer die klügste Entscheidung. Merkur ist am stärksten an den Start- und Enddaten seines Rückzugs. Je mehr Zeit du geben kannst, nachdem dieser Planet direkt geworden ist, desto besser.

Was tun während des rückläufigen Merkur?

Überprüfen Sie Beziehungen aus der Vergangenheit, oft taucht eine Person, mit der Sie verwandt waren, wieder auf und etwas stand an, Sie haben einen Zyklus nicht geschlossen und es ist notwendig, ihn abzuschließen, damit Sie mit mehr Freiheit voranschreiten können.

Sie können die Gelegenheit nutzen, Reparaturen vorzunehmen, die aus irgendeinem Grund ausstehen, und jetzt sind Sie gezwungen, sie durchzuführen. Es ist ein perfekter Zeitpunkt, um zu überprüfen, zu reparieren, neu zu starten, zurückzutreten und zu überdenken. Obwohl es nicht ratsam ist, neue Projekte zu starten, wenn Sie zurückgehen können, um diejenigen zu überprüfen, die Sie noch ausstehend haben, und versuchen, sie jetzt abzuschließen.

*Sie können auch die Vorteile nutzen, um Schulden zu bezahlen, Papierkram zu erledigen usw. Mit einem Wort: **Überprüfen und entfernen Sie alles, was ein Ärgernis bedeuten kann, aus Ihrem Leben.*** Sie *müssen Pläne machen und überprüfen, an welchen Projekten Sie arbeiten werden, wenn Merkur auf seine direkte Flugbahn zurückkehrt.*

Venus rückläufig 2023

Direkt 1. Januar, Steinbock 27°20 - 23. Juli, Löwe 28.
Rückläufig 23. Juli, Löwe 28°43 - 4. September, Löwe 12°
Direkt 4. September, Leo 12°11 - 1. Januar, Schütze 02°
Die Venus braucht 225 Tage, um die Sonne zu umkreisen, und ist zwischen einigen Stunden und drei oder vier Tagen stationär. Wenn Venus, die Göttin der Liebe, Schönheit, Gerechtigkeit und des Vergnügens, rückläufig ist, kann sie eine Seite zeigen, die der einer Kriegergöttin ähnelt. Verborgene Wünsche können an die Oberfläche kommen und das Gleichgewicht im Leben einer Person stören.

Dies kann zum Besseren sein, denn nur durch die Konfrontation mit diesen Dynamiken können sie entwirrt und geheilt werden. Wenn Venus rückläufig ist, kann ihre soziale und freundliche Natur schüchtern, zurückgezogen oder ruhig sein. Es gibt ein tieferes Gefühl von Wert in den Erfahrungen, die ihr finden müsst, ohne Ablenkungen. Beziehungen können Rückschläge haben, da die beiden Menschen entdecken, dass sie die verborgenen Neigungen ihrer Beziehung erforschen müssen.

Leider kann diese Umkehrbewegung auch viel Verwirrung stiften, und es gibt keine Garantie, dass eine Beziehung dieser Transformation standhalten wird. Beziehungen können in dieser Zeit viel Stress durchmachen und manchmal auseinanderfallen, wenn Menschen keine tragfähige Einigung erzielen können.

Venus retrograde kann auch eine neue Beziehung in Ihr Leben bringen, besonders wenn Sie dem Reiz einer intimen Verbindung widerstanden haben.

So oder so, Venus retrograde ermutigt uns, unsere Ansichten über Beziehungen zu überdenken. Was ist für uns von Bedeutung? Was und wen wollen wir und warum? Und was haben wir zu versprechen?

In der Welt der Venus Retrograde Liebe muss Intimität verhandelt werden, um festzustellen, wo die Grenzen jeder Person sind und ob wir die Bedürfnisse anderer erfüllen können.

Unter dem Rückzug der Venus könnten auch monetäre Angelegenheiten eine neue Planungsstrategie erfordern. Es verursacht oft eine Veränderung des Einkommens oder des Geldflusses, es kann eine Erhöhung oder eine Abnahme sein.

Kreative Projekte müssen möglicherweise aus einer anderen Perspektive angegangen werden, wenn neue Inspirationen entstehen. Fragen der Diplomatie, der Harmonie und der sozialen Interaktion könnten instabil werden.

Auf der anderen Seite kann ein Rückfall auch ein guter Zeitpunkt für Verhandlungen sein, da die Energie in Richtung Reflexion und Erforschung der internen oder unsichtbaren Seite der Situation geht.

Venus retrograde kann eine Zeit sein, in der sich schwache Glieder in einer Beziehung straffen und brechen. Probleme, die ignoriert oder vermieden wurden, können an die Oberfläche kommen und müssen *angegangen werden. Strömungen der Feindseligkeit oder Frustration können in einen offenen Konflikt ausbrechen.*

Die Probleme, die uns bedrohen, müssen angegangen werden oder Entscheidungen müssen getroffen werden, um die Beziehung zu beenden. Venus rückläufig kann ein Moment sein, in dem wir die Möglichkeit oder das Bedürfnis haben, uns zu entspannen und auszuruhen. Dies kann eine befriedigende oder frustrierende Erfahrung sein. Wir neigen dazu, in Beziehungen hineingezogen zu werden, in denen wir mit den gleichen Mustern und Problemen kollidieren.

Mars rückläufig 2023

Rückläufig 1. Januar, Zwillinge 09°11 - 12. Januar, Zwillinge 08°
Direkt 12. Januar, Zwillinge 08°35 - 1. Januar, Schütze 27°

Der Mars geht alle zwei Jahre und zwei Monate rückläufig, was ihn zu einem seltenen Ereignis und dem am wenigsten Häufigen aller Planeten macht. In dieser Zeit erfordert unser Umgang mit Konflikten, Feindseligkeit, Wut, Durchsetzungsvermögen und Handeln oft ein Umdenken und eine Reintegration.

Möglicherweise werden Sie gebeten, Ihre Stärken zu nutzen, um sich in einem Bereich zu behaupten, in dem Sie zurückhaltend, vorsichtig oder unerfahren waren. Die schwächsten Glieder in Ihrem Leben können brechen oder müssen repariert werden.

Der rückläufige Mars ist eine wunderbare Gelegenheit, die tieferen Probleme zu erforschen, die intensive Reaktionen in uns auslösen. Jemanden zu haben, mit dem wir darüber sprechen können, wie wir uns fühlen, kann sehr hilfreich sein, ein Therapeut, spiritueller Berater, Mentor, Freund usw.

Retrograder Jupiter 2023

Direkt 1. Januar, Widder 01°24 - 4. September, Stier 15.
Rückläufig 4. September, Stier 15°11 - 1. Dezember, Stier 05°
Direkt 31. Dezember, Stier 05°1 - 1. Januar, Stier 05°

Jupiter rückläufig lässt Sie fühlen, dass Ihr eigenes Wachstum, Ihre Expansion und Fülle stagniert oder sich sogar umgekehrt haben. Sie haben vielleicht nicht das Gefühl, dass Ihre *Bemühungen belohnt werden oder dass Ihre Ambitionen so schnell voranschreiten, wie Sie es erwartet haben.*

Bewerten Sie Ihre Bemühungen, Prioritäten, Gewohnheiten und Verantwortlichkeiten. Wohin geht deine Energie und wo wird sie belohnt?

Es ist ein guter Zeitpunkt, um sich neu zu fokussieren und anzupassen. Manchmal kann der Einschlag des rückläufigen Jupiters auch dazu führen, dass wir uns gierig verhalten oder energisch handeln, um damit durchzukommen, eine natürliche Reaktion, wenn die Dinge nicht so laufen, wie wir es erwartet haben. Widerstehe diesem Impuls. Drängen Sie nicht zu sehr auf Dinge, die nicht funktionieren, oder nehmen Sie, was nicht Ihnen gehört. Versuchen Sie, innezuhalten, um Ihre eigenen Bemühungen zu reflektieren und neu zu kalibrieren.

Retrograder Saturn 2023

Direkt 1. Januar, Wassermann 22°16 - 17. Juni, Fische 07°
Rückläufig 17. Juni, Fische 07°14 - 04. November, Fische 00°
Direkt 4. Nov, Fische 00°58 - 1. Januar, Fische 03°

Saturn braucht etwa 29,5 Jahre, um eine vollständige Umdrehung um die Sonne zu machen. Saturn tritt jedes Jahr für etwa 140 Tage in den Rückschritt ein. Wenn Saturn rückläufig wird, ist es ein guter Zeitpunkt, unsere Beziehungen zu überprüfen und an langfristigen Zielen, Verantwortlichkeiten und Pflichten zu arbeiten.

Es ist an der Zeit, die Art und Weise, wie wir unsere Realität manifestieren, neu zu strukturieren und eine neue Haltung gegenüber Hindernissen zu finden.

Retrograder Uranus 2023

Rückläufig 1. Januar, Stier 15°21 - 22. Januar, Stier 14°
Direkt 22. Januar, Stier 14°21 - 29. August, Stier 23°
Rückläufig 29. August, Stier 23°125 1. Januar, Stier 19°

Uranus braucht etwa 84 Jahre, um eine vollständige Umdrehung um die Sonne zu machen, so dass er etwa 7 Jahre bei jedem Tierkreiszeichen verbringt. Uranus bewegt sich etwa jedes Jahr für etwa 148 Tage rückwärts. Wenn Uranus sich zurückzieht, steht unsere innere Freiheit im Mittelpunkt.

Neptun rückläufig 2023

Direkt 1. Januar, Fische 22°18 - 30. Juni, Fische 27.

Rückläufig 30. Juni, Fische 27°15 - 6. Dezember, Fische 24°

Direkt 6. Dezember, Fische 24°26 - 1. Januar, Fische 25°

Neptun braucht etwa 164 Jahre, um die Sonne zu umkreisen, also etwa 14 Jahre in jedem Tierkreiszeichen. Neptun geht jedes Jahr für etwa 150 Tage rückläufig. Wenn Neptun zurückweicht, werden unsere Spiritualität, innere Ruhe und Vision zum Mittelpunkt der Aufmerksamkeit.

Pluto rückläufig 2023

Direkt 1. Januar, Steinbock 27°12 - 01. Mai, Wassermann 00°

Rückläufig 1. Mai, Wassermann 00°16 - 11. Oktober, Steinbock 27°

Direkt 11. Oktober, Steinbock 27°8 - 1 Jan, Steinbock 29°

Pluto braucht 248 Jahre, um eine vollständige Umdrehung um die Sonne zu machen, also verbringt er etwa 21 Jahre in jedem Sternzeichen.

Pluto bewegt sich etwa jedes Jahr für etwa fünf bis sechs Monate rückläufig. Wenn Pluto rückläufig wird, ist es gut, darüber nachzudenken, wie wir mit Veränderungen und Transformationen umgehen.

Black Moon

In ancient times, during the three days when the Moon was invisible, offerings of white flowers were placed at crossroads to the goddess Hecate so that she could grant protection. You can place a bouquet of white roses in the path of your house during this phase.

It is not recommended to perform rituals 24 hours before, and 24 hours after the arrival of the New Moon. New Moon spells must be performed in the visible New Moon phase. If you do them during these three days, you will achieve the opposite of what you really want.

In Black Moon we work with the underworld, we connect with our ancestors, and family spirits, since on this Moon the doors of the underworld are open, so it is common to do black magic spells in this phase.

It is an excellent Moon to consecrate the magic tools. During the Black Moon we will work on curses and issues of justice. It is used for defensive magic and protection.

New Moon Visible

If there are spells or curses against you, in this phase of the New Moon you can do the rituals to cut and finish everything negative. It is also Phase helps us to abandon bad habits, habits that harm us and start something new, such as quitting smoking or alcohol, among others.

To make the best use of this energy, magic must be performed between sunrise and sunset. Working at night is permissible, but for maximum effect, use the right schedule.

Mondsichel

Es ist ein fruchtbarer Mond, der Geschäft, Liebe, Gesundheit, Geld, Erfolg und Ernten stärkt. In dieser Phase arbeiten wir daran, etwas zu erhöhen oder anzuziehen. In diesem Zyklus bitten wir um Liebe, um anzukommen, das Geld auf unseren Konten oder unser berufliches Prestige zu erhöhen.

Wenn wir jemanden vor einem Bösen schützen wollen, ist es der richtige Moment, um göttliche Gerechtigkeit zu bitten und den Schutz unserer Lieben zu erhöhen. Auf gesundheitlicher Ebene ist es an der Zeit, die Abwehrkräfte des Körpers zu verbessern.

Vollmond

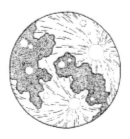

In dieser Phase bietet der Mond all seine Energie an, und Sie können Werke des Schutzes, der Gerechtigkeit, der Spiritualität und vieles mehr durchführen. All dieses Potenzial wirkt sich auch auf die Magie aus, was es dem Magier erleichtert, viel kompetenter zu sein, um große Energiemengen zu verwalten und sie zu kanalisieren.

Die meisten Liebesrituale werden durchgeführt, weil es jetzt ist, wenn der Mond seine größte Energie ausstrahlt. Vollmondrituale sind kraftvoll für das Glück, die Liebe und den Wohlstand unseres Hauses.

Jede Arbeit, die eine signifikante Energiezufuhr erfordert, sollte in dieser Zeit durchgeführt werden. Ihre Erfolgschancen sind sehr groß. Dies ist eine gute Zeit, um Mondwasser herzustellen.

Abnehmender Mond

Es ist derjenige, der vor dem nicht sichtbaren Neumond (Schwarzer Mond) auftritt. Der abnehmende Mond erscheint am Himmel in Form eines C. Wenn der Mond abnimmt, ist er auf dem Weg in die totale Dunkelheit und wird jede Nacht kleiner.

Während der vierten abnehmenden Phase wird die Negativität um uns herum freigesetzt. Es ist geeignet, negative Energien zu reinigen, Streit einzudämmen, Angst zu beruhigen und die Reinigungsarbeit fortzusetzen.

Es ist der ideale Mond für die Reinigung von Menschen, Unternehmen und Häusern. Der abnehmende Mond ist der richtige Zyklus, wenn du jemanden aus deinem Leben nehmen willst. Diese Phase hilft, Bindungen und Attraktionen aufzulösen.

Beste Tage, um einen Haarschnitt zu bekommen

Der Einfluss des Mondes auf das Haarwachstum ist bekannt. Überprüfen Sie die Mondphasen im vorherigen Kalender sowie die Zeichen, wo es sein wird, damit Sie den richtigen Tag auswählen können.

Neumond

In dieser Phase ist der Mond nicht zu sehen, da er sich zwischen der Sonne und der Erde befindet, aus diesem Grund ist es nicht gut, sich während dieser Zeit die Haare zu schneiden. In dieser Phase kann der Mond das Haar schädigen und die Haarfasern schwächen, wodurch der Haarausfall stimuliert wird. In dieser Phase des Neumondes ist es zweckmäßig, eine tiefe feuchtigkeitsspendende oder rekonstruktive Behandlung für das Haar durchzuführen.

Mondsichel

Dies ist die beste Phase, um Ihr Haar zu schneiden, wenn Sie möchten, dass es wächst. Wenn Sie Ihr Haar während dieser Phase schneiden, wird es schnell und stark wachsen. Es ist der perfekte Zeitpunkt, um die Enden zu schneiden, da sie sich dadurch nicht leicht öffnen können.

Vollmond

In dieser Phase ist es ratsam, trockenes oder beschädigtes Haar zu schneiden und zu behandeln. Es ist auch gut zum Färben Ihrer Haare oder zum plötzlichen Farbwechsel.

Abnehmender Mond

Im abnehmenden Viertel ist es ratsam, Haare zu schneiden, die durch chemische Behandlungen stark geschädigt sind. Es ist auch perfekt für Menschen, die viel Haar oder Volumen haben, um ihre Haare zu schneiden.

Wenn Sie Ihre Haare in diesen Tagen schneiden, wachsen die Haare langsamer und der Schnitt dauert länger. Es ist die perfekte Phase, wenn Sie kurze Haare haben und möchten, dass sie langsamer wachsen.

Es ist auch ratsam, Ihr Haar so zu schneiden, dass es wächst, wenn der Mond durch die Zeichen der Erde geht: Stier, Jungfrau und Steinbock, durch die von Wasser: Krebs, Skorpion und Fische.

Wenn Sie nicht möchten, dass es wächst, schneiden Sie es, wenn es in den Feuerzeichen ist: Widder, Löwe und Schütze.

Die Mondphasen und Pflanzenkulturen

Seit der Antike beobachten Landwirte, dass die Mondphasen die Ernte beeinflussen, die Keimung anregen oder verzögern. Der Einfluss der Mondphasen auf die Produktivität und die Qualität der Pflanzen manifestiert sich durch den Anstieg oder Abfall von Saft, der Nahrung der Pflanze.

Mondlicht greift je nach Intensität der jeweiligen Phase in die Keimung und das Wachstum von Pflanzen ein, da Mondstrahlen das Potenzial haben, durch den Boden zu filtern.

Wenn es **einen Neumond** gibt, nimmt die Intensität der Mondstrahlen ab, der Saft der Pflanzen bewegt sich zur Basis und konzentriert sich auf die Wurzel.

Es ist eine ideale Phase für die Ernte von Pflanzen mit Wurzeln wie Maniok, Rettich oder Karotte. Diese Phase ist auch förderlich für das Jäten oder Beschneiden.

Im Allgemeinen ist diese Mondphase außergewöhnlich gut zum Auftragen von Düngemitteln, Pflügen des Bodens und Düngen, Beseitigung von Unkraut, Entfernen von trockenen Blättern, Pflanzen von Mais und Tomaten.

Wenn es **einen Vollmond** gibt, begünstigt sein Licht das Wachstum in der Höhe der Pflanzen, die Gewebe dieser haben mehr Saft und es ist ideal zum Sammeln von Gemüse und Vorbereiten des Landes, um es zu kultivieren.

Wenn sich der Mond in seiner **abnehmenden Viertelphase** befindet, *wird der Saft in den unterirdischen Teilen zusammengefügt, dies ist die perfekte Zeit, um Kartoffeln, Knoblauch, Karotten, Zwiebeln, Radieschen usw. zu pflanzen. Das heißt, es ist vorteilhaft, das Gemüse, von dem wir die Spitze essen, als Salat oder Kohl zu säen.*

Auch im abnehmenden Viertel ist es ratsam, zu beschneiden, zu transplantieren oder zu schneiden. Während dieser Zeit ist es ratsam, Samen mit langsamer Keimung zu säen.

Im Allgemeinen ist diese Phase spektakulär, um verwelkte Blätter zu entfernen, Dünger aufzutragen, blühende Pflanzen direkt auf den Stamm zu gießen, grüne Blattpflanzen in Form von Regen zu gießen, alle Arten von Gemüse, außer Mais und Tomaten, zu pflanzen und Transplantationen durchzuführen.

Wenn der Mond im **Halbmondviertel** ist, *erreicht der Saft die Spitze der Pflanze, und in dieser Phase ist es günstig, die Pflanzen zu beschneiden, die wir mehr Ertrag produzieren wollen. Dies ist die perfekte Phase, um Holz für Feuer zu schneiden. Ausgezeichnete Phase zum Pflanzen von Blumen und Kultivieren von sandigen Böden.*

Der Mond in **Zeichen der Luft** *(Zwillinge, Waage und Wassermann) ermutigt Blumen.*

Der Mond in **Zeichen von WASSER** *(Krebs, Skorpion und Fische) aktiviert die Blätter und Stängel.*

Der Mond im **Zeichen des Feuers** *(Widder, Löwe und Schütze) stimuliert Samen und Früchte.*

Der Mond in **Zeichen der ERDE** *(Stier, Jungfrau und Steinbock) stimuliert die Wurzeln.*

Rituale 2023 für alle Sternzeichen

Zigeuner-Ritual

Sie nehmen eine rote Kerze und weihen sie mit Sonnenblumen- oder Lavendelöl. Sie drucken den vollständigen Namen der Person, die Sie behalten möchten. Dann bedecken Sie es mit braunem Zucker. Wenn die Kerze genug Zucker hat, schneiden Sie die Spitze ab und zünden sie darunter an, also umgekehrt. Während du die Kerze anzündest, wiederholst du in Gedanken: "Indem ich diese Kerze anzünde, entzünde ich die Leidenschaft von: (du sagst den Namen der Person), so dass unsere Beziehung süßer ist als Zucker." Wenn die Kerze verbraucht ist, müssen Sie sie vergraben, aber bevor Sie das Loch schließen, stauben Sie ein wenig Zimt.

Vollmondwasser

Vollmondwasser ist wie Weihwasser für Hexen. Sie können es in Ritualen und Zaubersprüchen verwenden, um Ihre magischen Werke zu verbessern und zu segnen. Mondwasser ist Wasser, das dem Licht des Vollmondes ausgesetzt ist. Auf diese Weise fängt es die Eigenschaften der Mondenergie ein und erleichtert es uns, sie zu nutzen, um unsere Rituale zu verstärken oder unsere Umwelt zu reinigen. Ich benutze es als Weihwasser; Jeden Vollmond bereite ich in einem großen Glasbehälter vor, lasse ihn die ganze Nacht unbedeckt dem Licht des Vollmonds ausgesetzt, mit einem weißen Quarz im Inneren und nehme ihn auf, bevor die Sonne aufgeht. Ätherische Öle können mit Mondwasser gemischt werden, und diese verstärken ihre Wirkung.

Der verzauberte Apfel der Liebe

*Dieser Zauber ist am effektivsten, wenn Sie ihn an einem Sonntag oder Freitag zur Venuszeit ausführen. (In meinen Büchern "**Love for all Hearts**" und "**Money for All Pockets**" gibt es eine ausführliche Erklärung über Planetenstunden). Sie sollten einen Apfel nehmen und ihn in zwei Hälften teilen. Du schreibst auf das Pentakel Nummer eins der Venus deinen Namen und auf das Pentakel Nummer drei der Sonne den Namen der Person, die du liebst. Tauchen Sie diese beiden Papierstücke in Honig und legen Sie sie in den Apfel. Sie binden den Apfel mit einem grünen Band und vergraben ihn. Bevor Sie das Loch schließen, gießen Sie mehr Honig und Zimt auf den Apfel.*

Pentakel #1 von Venus.

Pentakel #3 der Sonne.

Neutralisierendes Ritual für schlechte Energien in Ihrer Beziehung

Sie müssen ein Foto von sich und Ihrem Partner haben, auf dem beide am ganzen Körper erscheinen. Sie platzieren es unter einer gelben Pyramide. Diese Pyramide und das Foto werden es für immer so halten, an einem Ort, der nicht nur für Sie sichtbar ist. Jeden Monat zündest du in der Vollmondphase zwei Kerzen an, eine rote und eine blaue vor der Pyramide mit dem Foto darunter.

Ritual für materiellen Überfluss während einer Sonnenfinsternis.

Benötigen:
   -1 Stück Holz
   -1 weiße Kerze
   -1 Ei
   -1 weiße Platte
   Legen Sie das Holz auf den Teller, spalten Sie das Ei und werfen Sie es darauf, platzieren Sie die Schale außerhalb des Tellers, auf der rechten Seite zusammen mit der weißen Kerze, die Sie mit einem Holzstreichholz anzünden werden. Schließe deine Augen und konzentriere deine Energie und bittet das Universum, dich mit allem zu versorgen, was du brauchst, bitte, dass deine Wege frei von Hindernissen sind. Wenn die Kerze verbraucht ist, werfen Sie alles in den Müll.
   Ritual mit Honig, um Wohlstand in Ihr Leben zu bringen.

Benötigen:
- 1 weiße Kerze
- 1 blaue Kerze
- 1 Grünes Segel
- 3 Amethyste.
- 1/4 Liter reiner Honig
-Rosmarin.
- 1 neue Nähnadel

An einem Montag, zur Zeit des Mondes, schreiben Sie auf die grüne Kerze das Symbol des Geldes ($), auf die weiße Kerze ein Pentakel und auf die blaue Kerze das astrologische Symbol des Planeten Jupiter. Dann bedecken Sie sie mit Honig und verteilen Sie Zimt und Rosmarin in dieser Reihenfolge darauf. Dann legen Sie sie in die Form einer Pyramide, dass die obere Spitze die grüne Kerze, die linke die blaue Kerze und die rechte die weiße Kerze ist. Neben jede Kerze legen Sie einen Amethyst. Schalten Sie sie ein und bitten Sie Ihre Geistführer oder Schutzengel um materiellen Wohlstand. Sie werden die beeindruckenden Ergebnisse sehen.

Israelisches Ritual, um Geld zu verdienen.

Eine Zitrone halbieren und die beiden Hälften auspressen, wobei nur die beiden Deckel übrigbleiben. Sie brauchen keinen Zitronensaft; Sie können ihm eine andere Verwendung geben. Stecken Sie drei gewöhnliche Münzen in eine der Hälften, schließen Sie sie und rollen Sie sie mit einem Stück goldenem Band auf.

Vergraben Sie es anschließend in einem Topf mit einer Pflanze.
Kümmere dich mit viel Liebe um die Pflanze.
Ritual, um die Lotterie zu gewinnen. Vollmond

In einer Vollmondnacht sammeln Sie alle Lottoscheine, die Sie nicht gewonnen haben, und verbrennen Sie sie mit einer goldenen Kerze, während Sie diese Operation in Gedanken wiederholen: "Möge all Ihre Asche in Form von Gewinnen und Preisen in mein Leben zurückkehren." In weniger als 40 Tagen erhalten Sie eine Belohnung.

Die Schlüssel der Fülle.

Benötigen:
  - 3 Antike Schlüssel
  - 1 Ticket für die aktuelle Nutzung
  - 1 Grünes Segel
  Mit den drei Schlüsseln bilden Sie eine Pyramide, legen das Ticket in die Mitte und zünden die Kerze an. Während du das tust, wiederholst du in deinem Geist die folgende Aussage: "Reichtum kommt zu mir, weil diese Schlüssel mir die Türen der Fülle öffnen. jetzt unendlich." Wenn

die Kerze verbraucht ist, verstecken Sie die Schlüssel in der Ecke des Wohlstands in Ihrem Haus.

Farben, um Geld anzuziehen

Weise Lehrer haben seit Jahrtausenden die Bedeutung von Farben betont, um Geld anzuziehen. Sie haben die magnetische Fähigkeit bestätigt, die sie haben, um uns mit ihrer positiven Aura zu umhüllen und Wohlstand zu aktivieren. Einige dieser Farben sind:

Gelb.

Es wurde von den imposantesten Herrschern seit der Antike verwendet. Die Römer benutzten es als Symbol ihres Reichtums, weil es Geld und materiellen Überfluss anzieht.

Grün.

Die Fähigkeit dieser Farbe, Geld anzuziehen, liegt in ihrem Wesen. Etymologisch kommt das Wort "grün" von dem Begriff (viridis), der im Lateinischen Kraft bedeutet, weshalb diese Tonalität immer mit der Kraft der Jugend verbunden ist.

Gold.

Von den Farben, um Geld anzuziehen, ist Gold schockierend, es führt zur Anziehungskraft großer Reichtümer.

Rot.

Das Feuer des Lebens, das in Form von Blut durch unseren Körper fließt, ist von dieser Farbe, es kann Geld anziehen, und seine Energie treibt uns an, unsere Ziele zu erreichen.

Blau.

Dies ist die Farbe des Vertrauens, nützlich für die Konsolidierung von Geschäftsbeziehungen, die Gewinnung von Geld und die Stärkung von Vereinbarungen.

Finsternisse 2023

Finsternisse und ihre Magie

Eine Sonnenfinsternis ist ein ungewöhnliches Ereignis; Daher ist seine Transzendenz besonders wichtig, es gibt viele Rituale, Zaubersprüche und Verankerungen, die vor und während einer Sonnenfinsternis durchgeführt werden können, um diese starke Energie auf vorteilhafte Weise für uns zu erweitern.

Menschen können sich während einer Sonnenfinsternis unruhig fühlen, mit ein wenig Angst, das ist die Kraft und Essenz der Sonnenfinsternis, eine Emotion wie in einem magischen oder Schutzkreis. Abhängig von der Art der Sonnenfinsternis wird der Einfluss auf die Menschen sein.

Eine Sonnenfinsternis bezieht sich auf alles Materielle und Physische, eine Mondfinsternis auf alles, was mit Emotionen und Spiritualität zu tun hat.

Selbst wenn Sie die Sonnenfinsternis nicht von Ihrem Land aus beobachten können, können Sie während der Eklipse Magie und Rituale durchführen.

Wenn eine Mondfinsternis stattfindet, die nur in der Vollmondnacht auftreten kann, spüren wir alle Mondphasen in wenigen Minuten und Sekunden. Der Vollmond verbirgt sich teilweise oder ganz und wird dann sofort wieder sichtbar. In wenigen Minuten, wenn es sich um eine totale Mondfinsternis handelt, nehmen wir eine Energie wahr, die einem vollständigen Zyklus entspricht.

Eclipse Termine 2023

Totale ringförmige Sonnenfinsternis - 20. April 2023, 29° **Widder** 50′

Halbschattenmondfinsternis - 5. Mai 2023, 14. **Skorpion** 58′
Ringförmige Sonnenfinsternis - 14. Oktober 2023, 21° **Waage** 08′
Partielle Mondfinsternis - 28. Oktober 2023, 5° **Stier** 09′

Auswirkungen von Finsternissen 2023 auf unser Leben
Neumond-Sonnenfinsternis im Widder: 20. April 2023

Diese Eklipse ist die erste in der Widder-waage Serie. Es geschieht im letzten Grad des Widders, der die Impulse erhöht. Seine Auswirkungen sind bis zu sechs Monate nach diesem Datum spürbar.

In Widder legt diese Eklipse einen starken Schwerpunkt auf Fragen im Zusammenhang mit persönlichen Projekten, Mut und Autonomie. Dies sind Neuanfänge in Bezug auf eines dieser Probleme. Langfristige Veränderungen beginnen.

Diese Sonnenfinsternis kann unsere Bedenken in Bezug auf Unabhängigkeit und persönlichen Mut beleuchten oder herausfordern. Wir können verstehen, dass Veränderungen oder Enden für unser eigenes Wachstum notwendig sind und dass wir sie bewältigen können.

Dies ist eine Zeit, um die positiven Eigenschaften von Widder in unser Leben zu integrieren: ehrgeizig, spontan und fleißig. Die Neumonde im Zeichen des Widders sind die Zeit, um die Kontrolle über unser Leben zu übernehmen, ein neues Projekt zu beginnen und unseren persönlichen Mut zu bekräftigen.

Mit dieser starken Widder-Energie könnten wir große Veränderungen in unserem Leben bewirken. Widder ist das erste Tierkreiszeichen, und daher bezieht sich ein Neumond in diesem Zeichen auf die Gelegenheit für einen Neuanfang.

Die Sonnenfinsternis bildet ein Quadrat (Hindernisse) mit Pluto, was auf Stolpersteine hinweist, wenn wir mit unseren Ängsten und Ängsten umgehen. Es hat jedoch einen positiven Aspekt mit Jupiter und ermutigt zu guten Möglichkeiten. Mars, der Herrscher des Widders, verbindet sich mit dem Nordknoten und signalisiert Wachstum durch unsere Handlungen, Projekte oder Entscheidungen.

Mit dieser Sonnenfinsternis werden wir einen starken Impuls verspüren, ohne nachzudenken; Vermeiden Sie voreilige Schlüsse.

Was in unserem Leben nicht funktioniert, manifestiert sich in der Nähe der Zeit der Sonnenfinsternis und führt uns dazu, von vorne anzufangen. Etwas endet, um Platz für einen Neuanfang zu machen. Dies ist die Zeit, ein neues Kapitel in unserem Leben zu beginnen.

Halbschattenfinsternis des Mondes im Skorpion: 5. Mai 2023

Die Stier-Skorpion-Achse regelt das Gleichgewicht zwischen allem, was mir gehört (Stier) und allem, was dir gehört (Skorpion). Es betont auch das Kriterium der Formen (Stier) versus Metamorphose (Skorpion).

Stier regiert die materiellen, persönlichen Werte, materiellen Güter, Güter und Sicherheit. Skorpion steht für die Zerstörung von Strukturen, gemeinsames Erbe und Transformation.

Die Vernachlässigung der beiden Enden dieser Achse ist schädlich. Wir müssen das Gleichgewicht zwischen diesen Energien suchen, und das ist es, wozu uns der Vollmond auffordert.

Dieser Vollmond spricht von emotionalen Offenbarungen. In den folgenden Monaten werden wir herausfinden, was dieses Bekenntnis für uns symbolisiert. Der Vollmond deckt anstehende Probleme auf oder beleuchtet sie.

Sonnenfinsternis in der Waage: 14. Oktober 2023

Mit dieser Sonnenfinsternis werden Sie feiern oder Partys, Tagungen und romantische Nächte besuchen. Die Warteschlangen in Restaurants werden zunehmen.

Der intellektuelle Teil der Menschen wird wegen dieser Sonnenfinsternis an der Oberfläche sein. Philosophische Debatten zu verschiedenen Themen werden Spaß machen und erfrischen.

Liebe und Romantik werden verherrlicht. Verkleide dich, um deine Liebhaber anzuziehen. Anständige Manieren werden ein Plus sein. Unhöfliche Menschen und Verhaltensweisen werden nicht toleriert.

Sie werden Veränderungen begrüßen und Sie werden auch die richtigen Worte kennen, um sie in der Öffentlichkeit zu sagen, das heißt, Ihre soziale Intelligenz wird wachsen. Diese Sonnenfinsternis wird Ihnen jedoch das Gefühl geben, unentschlossen zu sein. Es wird eine Weile dauern, bis Sie sich für irgendetwas entschieden haben. Darüber hinaus vermeiden Sie Konfrontationen. Seien Sie vorsichtig, denn die Sonnenfinsternis könnte Ihre Nieren, den unteren Rücken und die Haut beeinträchtigen.

Mondfinsternis im Stier: 28. Oktober 2023

Diese Mondfinsternis im Stier bedeutet große Veränderungen und Fortschritte in Bezug auf Finanzen, Investitionen, materielle Stabilität und sinnliches Vergnügen. Überraschende Veränderungen stehen bevor.

Sonnenfinsternis Wasser

Da Sie diese außergewöhnliche Gelegenheit haben können, dass eine Sonnenfinsternis uns Kräfte, Weisheit und positive Energie gibt, müssen Sie einen transparenten Behälter mit Wasser füllen und ihn fest verschließen. Sobald die Sonnenfinsternis beginnt, öffnest du den Deckel, so dass das Wasser mit dieser Energie imprägniert ist, während du über deine Absicht nachdenkst: mehr Geld, Arbeit, Kreativität im Leben oder Glück in der Liebe. Sie schließen den Deckel, wenn die Eklipse vorbei ist.

Dann werden Sie mit diesem Wasser ein Bad nehmen, aber Sie werden die Rüde- und Hinzupflanzen einbeziehen. Sie können es nicht kochen, zerkleinern Sie die Pflanzen einfach mit Ihren Händen so viel wie möglich und mischen Sie es mit diesem Wasser. Er wird Ihnen alle Wünsche erfüllen, die Sie während des Badens gestellt haben.

Wer ist dein Seelenverwandter nach deinem Sternzeichen?

Wenn wir den Begriff "Seelenverwandte" hören, denken wir normalerweise, dass sie sich auf Mitglieder eines Paares beziehen, du auf jemanden, mit dem wir eine starke sentimental-sexuelle Verbindung haben. Legitime Seelenverwandte beziehen sich jedoch nicht immer von diesem Standpunkt aus, und oft interessieren sie sich nicht einmal für den sexuellen Aspekt einer Beziehung.

Dein Seelenverwandter kann nicht nur dein Partner sein, sondern auch dein Vater, Freund, Sohn, Großvater, Chef oder Schwester.

Aus astrologischer Sicht und in Anbetracht der Tatsache, dass die Lektionen, die wir lernen müssen, bevor wir das nächste spirituelle Niveau erreichen, diejenigen sind, die die Art von affektiven Beziehungen definieren, die wir im gegenwärtigen Leben entwickeln müssen, können wir sagen, dass Krebs und Fische Seelenverwandte des Widders sind. Mit Krebs und Fischen können sich Arianer nicht nur besser fokussieren und Konflikte gewaltfrei lösen, sondern auch Empathie entwickeln, du die Fähigkeit, sich in den anderen hineinzuversetzen und zu lernen, zu teilen. Diese beiden Zeichen mögen keine Konflikte, und wenn doch, ziehen sie den Dialog jeder Episode von Brutalität vor. Widder können

Krebs und Fische lehren, nicht die Zustimmung anderer zu benötigen, riskanter zu sein und nicht zu versuchen, es allen recht zu machen, das heißt, durchsetzungsfähiger zu sein.

Der sinnliche Stier, Feind der Veränderungen, Blutsverwandter der Trägheit, hat als Seelenverwandten Schütze und Zwillinge, zwei Zeichen, die wissen, dass das Leben eine faszinierende Reise ist, aber nicht statisch. Sie können den Stier lehren, nicht Es muss dort bleiben, wo es nicht mehr sein muss, aus Angst vor Unsicherheit, und dass es immer bestimmte Situationen oder Umstände geben wird, die passieren werden, ohne dass wir sie erwarten und ohne, dass wir irgendeine Macht besitzen, sie zu ändern. Stier hat auch viel zu lehren diese Zeichen. Lektionen der Willenskraft, Verpflichtungen gegenüber anderen zu haben, sich zu dem zu verpflichten, was sie tun, und bis zum Ende mit Beharrlichkeit, ohne Eile oder Langsamkeit fortzufahren. Prinzipien haben und umsichtig sein.

Löwe kann viel Karma mit seinen Seelenverwandten ausgleichen, die zu Waage und Wassermann gehören. Ein Löwe kann mit einer irrtümlich fehlerhaften Idee oder Überzeugung hartnäckig sein; Waage und Wassermann wissen, dass hinter einer egozentrischen Person ein geringes Selbstwertgefühl steht. Waage wird Leo Gleichmut und Toleranz beibringen, um Argumentation und Diplomatie zu verwenden, um eine flüssige Kommunikation aufrechtzuerhalten. Wassermann, das entgegengesetzte Zeichen zu Löwen, ausgestattet mit einem objektiven und fairen Urteil, da sie sich nie von Vorurteilen mitreißen lassen, wird Leo lehren, die Herzen der Menschen zu sehen, seine Schulter anzubieten und in Zeiten der Not mitfühlende Worte zu verschenken. Leo zögert nie, wenn er Entscheidungen trifft, und wenn sie es tun, manifestieren sie es nicht, etwas, das Waage praktizieren sollte. Treue ist ein Siegel in Löwen, etwas, das Wassermann nicht weiß, und die kleinen Löwen können ihm Lektionen in Moral geben.

Jungfrau, bekannt als Perfektionisten, wegen der immensen Angst vor dem Versagen, hat als Seelenverwandte Skorpion und Steinbock. Jungfrau mag es, in ihren Entscheidungen streng zu sein und hat einen Prototyp in jedem Aspekt ihres Lebens. Diese Selektivität hindert sie daran, der Bewegung des Lebens zu folgen. Jungfrau wird ein ganzes Projekt zerreißen, wenn sie das Gefühl haben, dass sie überhaupt nicht perfekt waren, etwas, das ein Steinbock niemals tun würde, da ihre Vision es ihnen ermöglichen wird zu sehen, dass alternative Maßnahmen immer ergriffen werden können, ohne von vorne anfangen zu müssen.

Steinbock ist ein sicheres Zeichen für ihren eigenen Raum, sie treffen keine bedeutungslosen Entscheidungen, was manchmal Jungfrau tut. Skorpion seinerseits kann das Schlimmste mildern und das Beste von Jungfrau verbessern. Skorpion und Jungfrau haben eine praktische Einstellung zum Leben; Skorpione sind jedoch viel lebendiger als Jungfrau. Skorpion wird die Entscheidung bringen, die Jungfrau fehlt, und Jungfrau wird Kontrolle und Rationalität in den begeisterten Skorpion bringen. Jungfrau wird Steinbock angenehmer und verspielter an seiner Seite machen und ihn von der übermäßigen Ernsthaftigkeit isolieren, die er oft auf seinem Gesicht zeigt.

Was ist das kontrollierende Tierkreiszeichen?

Kontrolle gibt uns ein Gefühl der Sicherheit, aber das Problem ist, dass wir die meisten Dinge, die in unserem Leben oder anderen Menschen passieren, nicht kontrollieren können, und der Versuch, dies zu tun, dient nur dazu, mehr Stress und Konflikte zu erzeugen.

Kontrollierende Menschen glauben, dass sie wissen, was für die Menschen um sie herum am besten ist, und möchten möglicherweise passiv und sogar indirekt dominieren. Abhängig von Ihrem Sternzeichen haben Sie eine bestimmte Art der Kontrolle und Sie werden in dieser Hinsicht aggressiv sein.

Widder: *Sie fühlen sich normalerweise überlegen, intelligenter und effektiver. Daher müssen sie alles überwachen. Sie gehen davon aus, dass sie das Sagen haben müssen, weil andere nicht wissen, wie sie etwas richtig lösen sollen.*

Stier: *Sie haben das Gefühl, dass sie das Recht haben, in den Raum ihrer Mitmenschen einzudringen. Sie werten die Erfolge des anderen ab, behandeln die kontrollierte Person als unfähig und versuchen sogar, sie zu ändern.*

Zwillinge: *Dieses Zeichen ist intelligent und weiß oft, wie man die Zügel übernimmt, ohne dass Sie es bemerken. Sie sehen die andere Person* nicht als frei an, sondern müssen sich auf sie und jeden Befehl, den sie geben, verlassen.

Krebs: Sie glauben, dass sie die kleinsten Details von allem, was sich um sie herumbewegt, überwachen sollten. Alles muss nach dem geplant und organisiert werden, was sie mit äußerster Strenge entschieden haben. Und natürlich sind sie überzeugt, dass ihre Art, Dinge zu lösen, die beste ist.

Löwe: versucht, dass die Situationen und Verhaltensweisen anderer dem entsprechen, was sie für richtig halten. Ein weiteres Element, das sie verwenden, sind Drohungen, ob direkt oder indirekt, als Strafen oder Konsequenzen, wenn Sie nicht tun, was Leo sagt.

Jungfrau: Sie mischen sich sogar in die Gespräche anderer ein. Sie kritisieren ständig andere und sind sehr misstrauisch. Sie werden wahrscheinlich auch versuchen, Sie in ihren Freundes- und Familienkreis einzuführen, bis zu dem Punkt, an dem es zu Ihrem einzigen sozialen Umfeld wird.

Waage: Wenn möglich, würden sie den Blutfluss jeder wichtigen Person in ihrem Leben kontrollieren. Sie funktionieren, als wäre es normal, die Entscheidungen des anderen zu antizipieren und sie selbst für die andere Person zu treffen. Die Ausrede kann sein, keine Zeit zu verschwenden oder das Richtige für alle zu tun.

Skorpion: kontrolliert dich, indem er dich von deinen Freunden oder deiner Familie isoliert, er tut es sehr subtil. Sie beschweren sich vielleicht darüber, wie oft wir mit unseren Familienmitgliedern sprechen oder sagen, dass sie dich nicht mögen. Auf der anderen Seite kann er Ihnen auch ständig vorwerfen, dass Sie nicht wissen, wie Sie etwas tun sollen.

Schütze: Er ist ein Kontrollstratege, weil er nicht die ganze Zeit kontrolliert, und er ist super klug, es zu tun. Er zögert nicht, anderen Ratschläge zu geben, auch wenn sie ihn nicht darum gebeten haben, weil er glaubt, besser als jeder andere zu wissen, wie sie vorgehen sollen.

Steinbock: Er ist normalerweise geschickt darin, Schuldgefühle zu nutzen, um das zu bekommen, was sie von anderen wollen. Sie sind sehr paternalistisch; Sie greifen auf diesen Mechanismus zurück, um ihren Versuch der Macht oder Kontrolle über den anderen zu verbergen.

Wassermann: Sie können es nicht ertragen, nicht zu wissen, was passieren wird oder wie die Zukunft aussehen wird. Sie glauben, dass andere in irgendeiner Weise unvollkommen sind. Sie fühlen sich ängstlich und verärgert, wenn die Dinge nicht so laufen, wie sie es sich vorgestellt haben. Sie mögen es, gebraucht zu werden, weil sie sich auf diese Weise für bestimmte Situationen verantwortlich fühlen und das sie beruhigt.

Fische: neigt dazu, Dinge oder Menschen mit emotionalen Strategien zu kontrollieren. Wenn Sie sensibel sind, können Sie ein Experte für emotionale Erpressung sein. Appelliert an das Vertrauen, das der andere in ihn hat, und benutzt es schließlich als Argument, wenn er die Initiative bei Entscheidungen ergreift.

Die Idee zu akzeptieren, dass wir nicht immer wissen können, was passieren wird, oder alles kontrollieren können, kann eine Herausforderung sein. Oft kommt dieser Versuch der Kontrolle, besonders im Paar, aus der Angst vor dem Verlassenwerden. Wir müssen bedenken, dass eine der Grundlagen, um diese Angst zu beseitigen, sei es im Paar oder in einem anderen Lebensbereich, Vertrauen und Kommunikation ist, unsere Ängste zu entlarven und zuzustimmen, dass der andere frei denkt.

Was ist das aufrichtigste Tierkreiszeichen?

Seit der Antike ist Ehrlichkeit eine menschliche Eigenschaft, die nicht nur mit der Ethik, sondern auch mit Wahrheit und Moral eng verbunden ist. Obwohl in einigen Situationen das Manifestieren oder Voranschreiten ehrlich die Emotionen anderer zerstören kann, zum Beispiel, wenn wir einen Freund darauf hinweisen, dass wir mit etwas, das er tut, nicht zufrieden sind, weil wir feststellen, dass es nicht richtig ist, oder wenn wir jemandem sagen, dass wir ihn nicht mehr wollen, und trotz dieses Schmerzes, den wir zweifellos verursachen werden, Es wird immer besser bei der Täuschung sein.

*Die Astrologie kann den Grad der Ehrlichkeit anhand des Sternzeichens definieren. **Schütze** ist ein brutal aufrichtiges Zeichen; sie besitzen ein großes Gespür für. r und haben die Angewohnheit, die harte Wahrheit durch ihre Witze zu enthüllen.*

*Wenn es ein Zeichen gibt, das nicht gerne über ein Thema nachdenkt und viel weniger täuscht, dann ist **Löwe**; sie wissen, dass nur mit der Wahrheit vor uns große Dinge erreicht werden.*

***Widder** haben keine Fähigkeit zu lügen, sie sind völlig transparent; sie werden dir immer die Wahrheit über dich sagen, ohne ein falsches Kompliment.*

***Der Skorpion** verbirgt nie, was er denkt, besonders wenn er verärgert ist; Sie kümmern sich nicht um die Meinung anderer, also werden sie sagen, was sie für das Beste halten, ohne auf die Zustimmung ihrer Umgebung zu warten.*

Jungfrau, du kannst sicher sein, dass er dir immer die Wahrheit sagen wird, denn er hasst Umwege und Lügen; sie sind sehr direkt und werden dir die Dinge immer so sagen, wie sie sind, da sie viel über die Folgen des Lügens nachdenken.

Ehrlichkeit ist eine der größten Waffen des Stieres; das Lügen für dieses Zeichen ist eine zu schwierige und mühsame Aufgabe.

Krebs schätzt Ehrlichkeit, da sie das Gefühl haben, dass das Verbergen der Wahrheit dem Verrat nahekommt; manchmal hindert Selbstmitleid sie daran, völlig ehrlich zu anderen zu sein, da sie davon ausgehen, dass sie auf diese Weise vermeiden könnten, denen um sie herum zu schaden.

Zwillinge, wahrer Meister der Kommunikation, wenn sie sehen, dass es günstig ist, die Wahrheit zu sagen, werden sie es tun; aber wenn sie der Meinung sind, dass dies nicht der Fall ist, werden sie es vorziehen, ihre Meinung zu verbergen.

Waage, um einen Konflikt zu vermeiden, sind nicht ehrlich. Sie sind jedoch rechtschaffen und werden ihre Waage zur Wahrheit kippen, wie hart sie auch sein mag; Sie fühlen sich oft unwohl, wenn es um Konfrontationen geht, und tun nur so, als würden sie Konflikte vermeiden.

Wassermann denkt, dass es einfacher ist, sich der Enttäuschung zu stellen, die durch die Wahrheit verursacht wird, als dem Schmerz des Lügens. Sie werden sich jedoch nur in Situationen einmischen, von denen sie annehmen, dass sie für sie wichtig sind.

Es ist schwer zu sehen, dass Steinbock alles sagt, was ihm durch den Kopf geht, sie sind mehr als Ehrlichkeit mit Gesichtsanspielungen auszudrücken.

Fische können nicht sehr ehrlich sein, weil er immer die Gefühle anderer an die erste Stelle setzt; er wird niemals etwas sagen, das einen Konflikt verursachen könnte, also zieht er es vor, eine schmerzhafte Wahrheit auszuschmücken oder ein wenig zu retuschieren.

Ehrlich zu sein bedeutet nicht, etwas ohne Filter zu sagen und am Ende einen anderen zu verletzen, sondern die Wahrheit zu verkünden, aber immer mit einer Quote von Zärtlichkeit und Empathie.

Was ist das gefährlichste Merkmal jedes Sternzeichens?

Jeder hat ausnahmslos viel Geschwindigkeit und Geschick, um die Fehler anderer zu erkennen und keinen, um seine eigenen Fehler zu erkennen. Innerhalb unserer negativen Eigenschaften gibt es immer eine, die am gefährlichsten ist.

Laut Astrologie, nach Ihrem Sternzeichen, ist dies Ihre furchterregendste Eigenschaft:

Widder*: Aggressivität. Als Widder aggressiv wird, sieht er jeden als Gefahr und bei der geringsten Veränderung gibt er ihm einen Wutanfall. Ihr reizbares Verhalten drückt sich sowohl in ihrer Sprechweise als auch in den körperlichen Handlungen aus, die sie ausführen.*

Stier*: Egoismus. Sie widmen sich nicht dem Teilen und Handeln nur, wenn sie davon profitieren können. Wenn du etwas von einem selbstsüchtigen Stier leihst, darf er es dir nicht geben, es sei denn, er kann dich um etwas im Gegenzug bitten, oder er behält sich den Gefallen vor, es in Zukunft zu verwenden.*

Zwillinge*: Grausamkeit. Sie haben nicht die Empathie entwickelt und zeigen keine Reue für ihr Verhalten. Sie schaden und schlagen durch emotionale Bedrohung zu. All dies wird erreicht, indem man fleißig ihre Worte auswählt oder euch täuscht.*

Krebs*: Intoleranz. Sie sind unnachgiebig, mit einem Denkmodell, das auf Obsessionen und Stereotypen basiert, das sie dazu bringt, willkürliche und intolerante Menschen zu werden. Sie wollen alles unter*

Kontrolle haben und denken, dass alles schwarz oder weiß ist, da sie Angst vor Unsicherheit haben.

Leo: *Arroganz*. *Sie schätzen sich selbst über andere und gehen so weit, andere Menschen zu verunglimpfen und sie so zu behandeln, als wären sie minderwertig. Sie haben eine Vorliebe, von dem abzulenken, was andere Individuen tun, und zu zensieren.* Dies ist ein Weg, um Territorialität zu schaffen, *und sie tun dies, indem sie einen großen Wunsch manifestieren, von anderen gelobt zu werden.*

Jungfrau: *Perfektionismus. Sie stützen sich auf die absurde Überzeugung, dass persönlicher Wert mit Produktivität und Leistung verglichen werden kann, oder was dasselbe ist: "Wenn ich scheitere oder einen Fehler mache, bin ich ein Unglück oder eine Katastrophe und verdiene nicht den Respekt anderer." Dieser dichotome Ansatz ist im Leben der Jungfrau sehr präsent.*

Waage: *Unnachgiebigkeit. Sie akzeptieren keine Ideen, Gedanken und Verhaltensweisen von anderen Menschen, und das hindert sie daran, sie zu akzeptieren, obwohl sie nicht Recht haben. Die Angst vor dem Unbekannten ist es, die sie kompromisslos vorgehen lässt. Dies ist deine Art, sicherzustellen, dass die einzige Wahrheit deine ist und die von niemandem sonst.*

Skorpion: *machiavellistisch. Sie tun alles, um zu bekommen, was sie wollen. Der Ausdruck "der Zweck heiligt die Mittel" veranschaulicht perfekt, was ein machiavellistischer Skorpion ist. Sie widersprechen der Realität und werden verwirrt über dich. Seine Wahrheit ist die Einzige, die zählt, auch wenn sie der Realität völlig entgegengesetzt ist.*

Schütze: *Konsumismus. Er neigt dazu, vom Kauf materieller Objekte besessen zu werden, indem er oberflächlich und egoistisch wird, das heißt, sie leiden unter chronischer Unzufriedenheit. Sie verschwenden mehr, als sie können, indem sie Kredite aufnehmen und nicht nur ihre finanzielle Situation, sondern auch die Beziehung zu ihren Engsten gefährden.*

Steinbock: *Rache und Groll. Groll und Rache sind nicht dasselbe, aber sie sind verwandt. Steinböcke sagen oft, dass sie vergeben, aber sie vergessen nicht. Sie vergeben und vergessen nicht, denn wenn sie wirklich vergeben würden, würden sie vergessen. Nicht zu vergeben symbolisiert, dass das, was passiert ist, immer noch gültig ist und deshalb fühlt sich Steinbock so, sie denken, dass sie unschuldig sind und dass sie nicht falsch liegen.*

Wassermann: *Fanatismus. Sie verhalten sich irrational gegenüber einer Idee oder einem Objekt und schränken die Fähigkeit ein, für sich selbst zu denken. Sie sammeln Ideen, die nicht die geringste Diskussion oder Vorbehalte zulassen. Als Äquivalenz könnte man sagen, dass seine Ideen in Stein gemeißelt sind.*

Fische: *Reizbarkeit. Sie neigen dazu, Wut und Krise angesichts von Reizen zu empfinden, von denen sie glauben, dass sie sie stören. Sie werden irritiert, wenn sie sich nicht ausreichend fühlen, um eine Situation oder eine Person zu kontrollieren. Dies kann sich durch auffällige Einstellungen wie Schreien, Unruhe oder Anspannung ausdrücken.*

Es ist wichtig, unsere Fehler zu kennen und sie zu akzeptieren, das ist der erste Schritt, um sie zu ändern.

Sternzeichen von Charakteren aus der Bridgerton-Serie

Es gibt eine psychologische Verbindung zwischen unseren Persönlichkeiten und der Serie, die uns anzieht, das heißt, das Geschlecht kann eine Repräsentation Ihrer Persönlichkeit sein, aber auch die Charaktere, die sie enthalten.

Wenn wir die Charaktere der beliebten Netflix-Serie "Bridgerton" in die verschiedenen Sternzeichen einordnen, können Sie vielleicht herausfinden, warum Sie sich zu einem bestimmten hingezogen fühlen.

Simon Beset ist misstrauisch *und misstrauisch, mit vergangenen Traumata verbunden zu sein; aber er ist einfallsreich. Klassifiziert als Skorpion. Obwohl sie sehr romantisch ist, drückt sie es selten aus, was Daphne über ihre Gefühle verwirrt, eine der Strategien der Skorpione. Er versucht, alles zu kontrollieren, um sein Leben am Laufen zu halten, auch wenn er ein mentales Chaos erlebt, das ihn mysteriös und kontrollierend macht.*

Daphne Bridgerton *ist selbstlos, freundlich und liebt es, sich um die Menschen um sie herum zu kümmern, hat einen starken Sinn für Tradition und schätzt die Familie. Sie ist beschützend, die Art von Frau, die jemandem helfen wird, wenn er es braucht, oder wenn sie darum bitten, etwas Typisches für das Zeichen Krebs. Er verbringt gerne Zeit mit Freunden und Familie und weiß instinktiv, was gesagt werden soll und was nicht. Es ist gut darin, die emotionalen Zustände der Menschen einzufangen.*

Anthony Bridgerton ist konservativ und statusorientiert. Sein Zeichen ist Steinbock, weil er verantwortlich und organisiert ist. Er hält gerne alles an Ort und Stelle und hält sich in allen Bereichen seines Lebens an die Regeln. Anthony glaubt, dass er seine persönlichen Wünsche opfern muss, um seine Verantwortung als ältester Sohn des Hauses zu wahren. Er ist ein Mann, der es vorzieht, direkte und kalkulierte Schritte zu unternehmen.

Eloise Bridgerton ist Wassermann. Er nimmt die Ehe als Gefängnis wahr. Hat

Mit Sinn für Humor nimmt er Frauenrechte ernst und bewundert alle, die ungerechte Regeln ablehnen. Er hat seine eigenen Meinungen und hat keine Angst, sie zu teilen, er ist der revolutionärste Charakter, der gegen die sozialen Kanons der Zeit rebelliert.

Kate Sharma ist Widder, weil sie abenteuerlustig, wettbewerbsfähig und mutig ist und bestrebt ist, ihre Ziele, um jeden Preis zu erreichen. Sie hört auf seinen Verstand über sein Herz und widmet sein Leben für das Wohlergehen der Familie. Kate ist in der Glut von Schmerz und Liebe geschmiedet; Sie ist zu gleichen Teilen ehrenhaft und scharfsinnig. Er stürzt sich leidenschaftlich in alles, was er tut, und liebt Herausforderungen.

Königin Charlotte, ein authentischer Löwe, nicht nur wegen ihres Titels, sondern weil sie Eleganz, Anmut und Kraft verkörpert. Er hat kein Problem damit, zu führen, zu delegieren und Befehle zu geben, und er tut es natürlich. Langeweile ist eine Verurteilung für sie, und unter ihrem Äußeren ist jemand mit einem Durst nach Neuheit, Dynamik und Dramatik, typisch für Leo.

Penelope Featherington, eine lustige und intelligente junge Frau, die nicht weiß, wie man andere ihre Eigenschaften sehen lässt. Es ist Zwillinge, ein Doppelzeichen. Sie kämpft darum, sich offen auszudrücken und kanalisiert ihre intensiven Emotionen wie Lady Whistledown und arbeitet hinter den Kulissen, um ihre Kreativität, Intuition und

Vorstellungskraft zum Leben zu erwecken. Sie ist hochintelligent und gut artikuliert, wie ein Zwilling.

Lady Danbury, *einschüchternd und einflussreich. Obwohl sie rau ist, hat sie ein gütiges Herz; Sie ist gesellig und kontaktfreudig. Er ist Schütze, er weiß, was er will, und er hat keine Angst, danach zu streben. Sie hat keine Bedenken, den Menschen zu sagen, was sie hören müssen, ist stolz auf das Leben, das sie gelebt hat, und bereit, die Weisheit, die sie gelernt hat, zu teilen.*

Benedict Bridgerton, *die Quintessenz der romantischen und künstlerischen Seele, die sich nach Freiheit und Schönheit zu ihren eigenen Bedingungen sehnt. Er ist Fische, künstlerisch und verträumt und hat nie Angst, jede Aktivität zu genießen, die seinen Geist erweitert. Er verbringt die meiste Zeit damit, seine Realität zu verändern und Kunst mit Gleichgesinnten zu schaffen und mit seinen Emotionen vertraut zu werden.*

Colin Bridgerton, *der Gentleman der Familie. Gutherzig und charmant, eine typische Waage. Er hat immer einen witzigen Kommentar und hat ein Talent, Menschen zum Lachen zu bringen. Sie haben Schwierigkeiten zu entscheiden, was Sie in der Liebe wollen, die Waagen Sie sind berühmt dafür, unentschlossen zu sein. Obwohl er sensibel und liebevoll ist, ist er manchmal realitätsfremd.*

Lady Portia Featherington, *eine Frau, die alles tun wird, um den Reichtum und den Status ihrer Familie zu schützen. Sie ist Skorpion, eine begeisterte Frau und hat keine Angst vor ein wenig Täuschung im Namen ihrer Version des Guten. Sie ist bereit, zu lügen und sich durch jede Methode zu verschwören, um die soziale Leiter zu erklimmen, egal wen sie auf dem Weg zerstört.*

Edwina Sharma, *eine freundliche Frau; sie hat das reinste Herz von allen. Er sucht nach wahrer Liebe in seinem Leben und kümmert sich nicht um Geld oder Status, weshalb es Krebs ist. Sie versteht leicht, was von ihr erwartet wird und wie sie die Gefühle der Menschen erwidern* kann. Er ist akribisch und hat einen starken traditionellen Sinn und schätzt die Familie sehr.

Lady Violet Bridgerton, weise und scharfsinnig, Bild der Ehre und Pflicht, eine Jungfrau. Sie spürt die Chemie zwischen den Menschen und die Dynamik, die andere zu verbergen versuchen. Obwohl sie praktisch ist, möchte sie nur, dass ihre Kinder wahre Liebe über Status finden.

Wie jedes Sternzeichen einer sentimentalen Trennung gegenübersteht.

Eine Trennung ist eine der schwierigsten Situationen, die es zu überwinden gilt. Eine Trennung ist wie ein affektiver Krampf, der einen Anpassungsprozess erfordert, in dem verschiedene Veränderungen stattfinden werden, die natürlich je nach den persönlichen Eigenschaften der Beteiligten variieren. Die Astrologie gibt uns wieder einmal einen Norden darüber, wie jedes Sternzeichen entsprechend seinen Persönlichkeitsmerkmalen einer sentimentalen Trennung gegenübersteht.

Widder, er schüttelt sich nicht die Hand, bevor er alle Erinnerungen an einen Ex in Brand setzt. Die wenigen Wochen nach einer Trennung sind die arbeitsreichsten Wochen für einen Arier. Nach der Trennung wird Widder voll in seine Ziele projizieren. Es gibt nur einen Erfolgsstandard für jeden Widder: besser sein zu wollen als alle sein kombiniertes Exen.

Stier bleibt nach der Trennung derselbe. Sein Leben ist Routine, vor, während und nachher. Sie neigen dazu, eine kalte Haltung beizubehalten, um keine Schwächesymptome zu zeigen. Sie sind sehr stur und werden alles tun, damit ihr Ex sie nicht zerstört sieht, aber das bedeutet nicht, dass sie durch das, was passiert ist, nicht verletzt wurden.

Zwillinge stürzen sich in einen emotionalen Strudel, weil er nicht weiß, wie er mit Emotionen umgehen soll, beginnt, zwanghaft Kreditkartenrechnungen, Handygespräche, Notizen usw. zu untersuchen.

Wenn er Informationen findet, die ihm Hinweise auf den wahren Grund für die Trennung geben, beruhigt er sich, aber ansonsten kann diese Untersuchung chronisch werden und den normalen Verlauf des Genesungsprozesses verhindern.

Krebs wird weinen, bis ihm die Tränen ausgehen, weil er süchtig nach dem Adrenalin ist, das Melancholie produziert. Das Gefühl des Leidens und des intensiven Schmerzes von Frauen Die ersten Wochen nach der Trennung sind meist begleitet von großer Nostalgie, ständigen Erinnerungen an die andere Person und einer Idealisierung der Vergangenheit mit ihr.

Löwe, wenn sie nicht zustimmen, der Beziehung ein Ende zu setzen, werden sie zu einem Hurrikan von Gefühlen. Sie werden gleichzeitig weinen, schreien und über Nerven lachen wollen. Es ist schwierig für sie, eine Situation dieser Art zu lösen, weil sie nicht wissen, wie sie mit Niederlagen umgehen sollen. Sie benötigen möglicherweise zusätzliche Unterstützung, sogar von einem Therapeuten, um mental trainiert aus dieser Situation herauszukommen.

Jungfrau ist sarkastisch in Bezug auf Trennungen, weshalb sie sich während und nach einer Trennung gleich verhält. Auf der anderen Seite, die Tatsache, nicht diejenigen zu sein, die die Situation vollständig kontrollieren, lässt ihre Haare zu Berge stehen und einige der Symptome, die sich aus diesem Stress ergeben, sind das Auftreten von Akne und Problemen in dem Derma.

Waage ist das Zeichen, das am ehesten mit jedem Ihr Exen befreundet ist. Sie sind manchmal frivole Menschen und hassen es, dass andere über sie sprechen, deshalb zögern sie, in ihrem sozialen Umfeld anzuerkennen, dass sie keinen Partner mehr haben.

Skorpion, sie werden versuchen, die Pause nicht ernst zu nehmen, obwohl es ein Geschwür im Magen macht, anstatt zu bereuen, werden sie versuchen, die Liebe der Person wiederherzustellen. Nach einer Trennung sind zwei der Symptome, unter denen Skorpione normalerweise leiden, Angst und Schlaflosigkeit.

Schütze, diese glücklichen Zentauren fühlen sich nicht zu sehr von einer Trennung erdrückt, sie nehmen es als Ausrede, um auf eine Reise zu gehen. Der Schütze muss Boden zurücklegen, um seine Perspektive zu ändern und die Angst zu überwinden, je weiter und länger die Reise, desto besser. Sie schauen einfach in den Himmel und erzählen ihrem Gehirn, um ihnen eine andere Geschichte zu erzählen.

Steinbock ist das einzige Zeichen, das Glück in Melancholie findet und in eine seiner produktivsten Perioden eintritt. Wenn eine Beziehung endet, wird ein Steinbock seine Aufmerksamkeit wieder auf seine einzige Priorität richten wollen: die Arbeit.

Wassermann, Wassermänner sind Joker, und nach einer Trennung werden sie etwas tun wollen, das sicherlich alle überraschen wird. Sie lieben es, ihr Aussehen impulsiv zu verändern, und es gibt keinen besseren Zeitpunkt dafür als nach einer Trennung. Werden Sie auch süchtig nach etwas Neuem, sei es eine Netflix-Serie, ein Hobby oder Alkohol.

Fische, sie lieben es, die Liebe durch eine rosarote Brille zu betrachten, und für sie ist es verlockend, die Tür für die Illusion offen zu lassen. Sie neigen dazu, introspektiver zu sein und ihren Raum zu schützen als andere Zeichen, entscheiden sich dafür, über Dinge nachzudenken, anstatt zu handeln, sich wieder zu verabreden oder sich von anderen Menschen oder Projekten ablenken zu lassen.

Allgemeines Horoskop des Widders

Allgemein

Widder beginnen 2023 ein neues Kapitel in Ihrem Leben. Mit Ihrer Begeisterung und mit Jupiter, dem Glücksplaneten in Ihrem Zeichen bis Mai 2023, werden Ihnen alle Projekte, die Sie starten, Erfolg und Wohlstand bringen. Zu Beginn dieses neuen Zyklus besteht die Wahrscheinlichkeit, dass Sie den Beruf oder den Arbeitsplatz wechseln.

Sie müssen Ihr Glück genießen und zeigen, dass Sie allen Möglichkeiten gewachsen sind, die sich in Ihr Leben ergeben. Es ist klug, bereit zu sein, zu handeln, wenn sich Gelegenheiten ergeben. Wenn Sie Hilfe benötigen, fragen Sie Ihre Kollegen oder Familienmitglieder. In diesem Jahr habt ihr eine Mission zu erfüllen, und ihr werdet viele Erfahrungen sammeln, lasst euch nicht von ihnen verurteilen, versucht alles richtig zu machen, damit ihr dies nicht hervorruft. Versuchen Sie, Ihrem Leben eine Struktur zu geben, damit Sie andere motivieren. Planen und nutzen Sie neue Strategien. Verlieren Sie sich nicht in trivialen Dingen, versuchen Sie, durchsetzungsfähig zu sein und zögern Sie nicht.

Zu Beginn des Jahres gibt es eine außergewöhnlich starke kosmische Aktivität an wichtigen Punkten in Ihrem Geburtshoroskop. Jupiter transitiert durch Ihr Zeichen, dies ist die perfekte Zeit für Neuanfänge, Projekte, Möglichkeiten und Reisen. Sie können die Gelegenheit nutzen, etwas Neues zu tun und die Initiative für alles zu ergreifen, was Sie wollen. Sie können optimistischer über das Leben sein und sich in Bezug auf Ihre Möglichkeiten gut fühlen. Pluto untergräbt Ihren Bereich des Berufs, indem er Sie von Projekten befreit, die keinen Zweck haben.

Die erste Sonnenfinsternis des Jahres findet in Ihrem Zeichen am 20. April statt, dies ist die erste Sonnenfinsternis in Ihrem Zeichen seit März 2006, Sie müssen sich festere Ziele setzen. Diese Sonnenfinsternis findet an einem sensiblen Ort statt, weshalb sie eine höhere Energie als gewöhnlich hat. Es besteht die Möglichkeit, dass Sie sich motiviert fühlen oder zukünftige Ereignisse antizipieren und sich dann keine Sorgen machen. Lass die Torheiten nicht dein Ruin sein. Eine ähnliche Sonnenfinsternis geschah an der gleichen Stelle in Ihrem Zeichen im April 2004, schauen Sie sich an, welche Ereignisse in Ihrem Leben zu dieser Zeit passiert sind, um eine Vorstellung davon zu bekommen, was jetzt passieren könnte.

Liebe

Abenteuer ist in diesem Jahr gleichbedeutend mit Ihrem Namen, wenn Sie auf der Suche nach dem idealen Partner sind. Jupiter im Widder aktiviert dieses Jahr die Suche nach Ihrer Zwillingsflamme. Ihre Stimmung wird großartig sein, wenn Sie Single sind, und Sie werden exklusive Momente schaffen. Ihre umgängliche Art versetzt Sie in das Umfeld potenzieller Partner aus allen sozialen Schichten. Einer dieser Menschen wird dein Herz fesseln, und du wirst es auf ein Podest stellen, wenn du das Gefühl hast, dass das Maß an Sicherheit und Toleranz gegenseitig ist.

Insbesondere werden Sie auf einer Erkundung sein, um die Gewohnheiten und Eigenschaften zu entdecken, die dieser potenzielle Partner besitzt, und wenn Sie sie kennenlernen, werden Sie mit Faszination all die Treue und Romantik aufnehmen, die diese Person Ihnen bietet. Dein feuriger Geist strebt danach, Liebe mit jemandem zu teilen, der kompatibel ist, der natürlich tolerant und entgegenkommend zu dir sein muss. Wie auch immer, obwohl Sie sehr schnell irritiert werden, wird diese Person Ihnen beibringen, sich zu beruhigen, und Sie können sich versöhnen und viele Momente der Liebe genießen.

Der Asteroid Ceres durchquert Anfang 2023 Ihr Beziehungsgebiet. Dieser Transit wird Ihnen helfen, liebevoller und verantwortungsbewusster mit den Menschen umzugehen, die Teil Ihres Lebens sind, Sie können Ihre Beziehungen pflegen, wenn Sie in einem Paar sind. Sie werden sich übermäßig um die Menschen sorgen, die Ihnen am nächsten stehen, sowohl persönlich als auch beruflich, und Sie werden versuchen zu fühlen, dass Sie etwas Wichtiges aus ihnen herausholen. Ceres wird in diesem Bereich von Februar bis Ende März einen rückläufigen Schritt machen, und dies kann eine Zeit sein, in der Sie die Möglichkeit haben, darüber nachzudenken, was Sie verbessern müssen oder was Sie loslassen müssen.

Venus bewertet auch Ihre Beziehungen im Jahr 2023, wenn sie rückläufig durch Ihren Liebesbereich Transits, dies geschieht nach der ersten Maihälfte bis Juli. Dieser Transit führt zu Brüchen oder Konflikten, die Sie lösen müssen. Sie können auch eine Tendenz zu geheimen Beziehungen entwickeln. Genießen Sie, aber vernachlässigen Sie nicht andere Bereiche Ihres Lebens, die viel Aufmerksamkeit von Ihnen verlangen werden. Prüfen Sie gründlich, ob es in Ihrem Interesse ist, sich ungezügelter Leidenschaft hinzugeben oder ob sie moderiert werden muss. Konzentriere dich darauf, richtig zu kommunizieren und gesunde Beziehungen zu haben. Auf diese Weise wird alles fließen und du wirst kein Karma erschaffen. Die Bewegungen Retrogrades eignen sich hervorragend, um sich wieder mit Beziehungen zu verbinden, die in letzter Zeit vernachlässigt wurden.

Ceres kehrt von Ende Juni bis Mitte September in Ihren Beziehungssektor zurück, um die noch ausstehenden Korrekturen vorzunehmen. Mars, machen Sie einen Spaziergang von Ende August bis Mitte Oktober, durch Ihr Liebesgebiet, und Sie werden sich motiviert fühlen, sich zu engagieren.

Am 14. Oktober kommt eine Sonnenfinsternis in Ihren Engagement-Bereich, die Ihnen Möglichkeiten für neue Beziehungen bietet, bestehende erneuert oder neue Leute kennenlernt. Mit dieser

Eklipse besteht die Möglichkeit, einen zweiten Job angeboten zu bekommen. Möglicherweise bieten sich Ihnen Möglichkeiten, die die Arbeit für oder mit anderen beinhalten.

Eine weitere Sonnenfinsternis, aber diese ist Mond, passiert in Ihrer Liebesabteilung am 5. Mai. Wenn Sie Probleme haben, die in Ihrem Unterbewusstsein vergraben sind, ist dies der perfekte Zeitpunkt, um sich ihnen zu stellen, insbesondere denen, die mit Intimität zusammenhängen. Du wirst das Bedürfnis verspüren, von einer Person wegzukommen, mit der du keine Verbindung mehr hast, und du musst dies tun, wenn du auf deinem Weg vorankommen willst.

Ihr werdet die Gelegenheit haben, eure emotionalen Bindungen von September bis November zu stärken, wenn Mars euer herrschender Planet und Ceres euren Beziehungsbereich wieder durchqueren.

Widder, obwohl du in letzter Zeit nicht die besten Momente in der Liebe hattest, da du Beziehungen beiseitelegen musstest, um dich um die Arbeit und andere wichtige Angelegenheiten zu kümmern, wird dich dieses Jahr 2023 die wahre Dimension deiner Isolation spüren lassen. Es ist unerlässlich, dass Sie sich wieder mit Ihren Freunden, Ihrem Partner und den Menschen verbinden, die Sie an Ihrer Seite brauchen. Versuchen Sie zu rekonstruieren, was Sie beiseitegelassen haben.

Wirtschaft

Im Mittelpunkt zu stehen ist nicht Ihre Stärke, aber Sie werden in Ihrem beruflichen Bereich bemerkenswert erfolgreich sein, wenn Sie Ihre kreativen Ideen präsentieren. Ihre Pläne werden so solide sein, dass jeder um Sie herum riskieren wird, mit Ihnen zu investieren. Sie werden Strategien entdecken, um Ihre Projekte zu festigen und Fähigkeiten zu haben, die niemand sonst im Geschäft hat. Denken Sie daran, dass Impulsivität Ihr Schwachpunkt ist, machen Sie deshalb weiter, aber handeln Sie nicht vorschnell. Wenn Sie in die Falle Ihrer Impulse tappen, müssen Sie bei jedem Projekt bei null anfangen und Sie werden zurückfallen.

Hier ist der Schlüssel, das zu beenden, was Sie beginnen, einen Tag nach dem anderen, eine Sache nach der anderen. Füttern Sie nicht viele neue Ideen, die Sie Ihre Ziele aus den Augen verlieren lassen. Wenn dies geschieht, werden Sie aggressiv gegenüber Ihren Kollegen und Ihrer Familie.

Es wird ein sehr erfolgreiches Jahr für Sie sein. Sie haben in den letzten zwei Jahren bereits ein wenig Mangel erlebt, und jetzt wissen Sie, wie Sie sich verhalten und sparen sollten. Pluto wird durch Ihr berufliches Gebiet reisen, es fühlt sich hart an, weil es seit fast zehn Jahren dort ist, es verlässt Ende März für eine Weile, es tritt Mitte Juni wieder ein und es bleibt für den Rest des Jahres 2023. Sie sollten bereits wissen, dass Pluto möchte, dass Sie sich selbst definieren, deshalb stellt das Leben Sie auf den Kopf, weil es möchte, dass Sie die Richtung ändern und Ihre Ziele klären. Wenn Sie es in den letzten zehn Jahren nicht getan haben, erwarten Sie wichtige Veränderungen auf professioneller Ebene.

Merkur ist Anfang 2023 rückläufig, bis Mitte Januar in Ihrer Berufsgruppe, und wird Mitte Dezember kurzzeitig rückläufig sein. Dies kann Energie für Sie erzeugen, um alles zu tun, was Sie noch nicht erreicht haben. Die drei rückläufigen Perioden des Merkur in diesem Jahr wirken sich auf Ihren beruflichen Bereich und damit auf Ihre Finanzen aus. Pluto möchte, dass Sie mehr Kontrolle übernehmen, und Merkur wird Ihnen helfen, die Zügel in die Hand zu nehmen oder sich selbst zu zerstören. Traditionell ist dies eine gute Gelegenheit, sich beruflich zu verändern, nach Möglichkeiten zu suchen, mehr Geld zu verdienen oder Arbeitspläne zu ändern. Hüten Sie sich vor Betrug und Konflikten mit den Behörden an Ihrem Arbeitsplatz. Beständigkeit ist nicht typisch für Rückschritte, auch wenn Sie sich so glücklich fühlen, wie Ihr Leben in diesem Bereich ist, versuchen Sie, sich auf kleine Anpassungen zu konzentrieren. Wenn du hast, was du tust, wirst du es noch mehr hassen. Seien Sie klug damit.

Der Asteroid Ceres in retrograder Bewegung beeinflusst auch Ihren Wirtschaftsraum von Ende März bis Anfang Mai, er schließt sich mit

Merkur in dieser Aufgabe an und all diese Energien werden dazu führen, dass Sie sich nicht auf das konzentrieren, was Sie tun. Sie werden auch das Gefühl haben, dass Sie nicht genug bezahlt werden oder das, was Sie für Ihre Arbeit verdienen, oder dass Ihnen zu viel Verantwortung übertragen wird. Alles, was du mit Ekel tust, wird betroffen sein.

Mars kommt von Mitte Juli bis Ende August zu Ihnen, um Ihnen in der Wirtschaft zu helfen und wird Ihnen die Energie geben, die Sie brauchen, um nach einem Job zu suchen, den Sie mögen oder begeistern. Diese Vibration ist perfekt für neue Projekte und Beschäftigungsmöglichkeiten.

Wie auch immer, finanziell werden Sie eine Menge finanzieller Hilfe erhalten, wenn Jupiter Mitte Mai durch Ihren Finanzbereich zieht. Jupiter schließt sich Uranus im Stier an, der sich seit einigen Jahren an diesem Punkt befindet. Uranus hat euch dazu gedrängt, große Veränderungen vorzunehmen, und Jupiter kommt nun, um euch für eure Bemühungen zu belohnen. Sie werden viele angenehme finanzielle Überraschungen für die Arbeit sehen, die Sie richtig gemacht haben, und Projekte, die gelähmt wurden, werden sich bewegen. Sie sollten klug und vorsichtig sein, wenn der rückläufige Merkur Ende April bis Mitte Mai Ihr Finanzgebiet durchquert.

Eine Mondfinsternis am 28. Oktober erschüttert Ihre Wirtschaft. Wenn Sie gedankenlos gehandelt haben, kann dies eine Zeit der Widrigkeiten sein, aber mit der Gunst von Jupiter ist es nichts Ernstes.

Menschen, die arbeitslos sind, sollten die Hoffnung nicht verlieren, wenn sie keine Arbeit finden, denn auf einer allgemeinen Ebene sind die Dinge ziemlich schwach. Sie werden nach Juli mehr Möglichkeiten haben, also sollten sie ihre Augen offen haben für die Angebote, die veröffentlicht werden. Was sie tun sollten, ist, diese Zeit zu nutzen, um Kurse zu besuchen, die mehr Türen auf dem Arbeitsmarkt öffnen. Seine Wirtschaft im Allgemeinen wird sich in diesem Jahr stärken, und sie werden in der Lage sein, sich einen kleinen Geschmack zu geben und die monatlichen Zahlungen ohne Stress zu bezahlen.

Familie

Familiäre Beziehungen werden kompromittiert, wenn Sie Schwierigkeiten vermeiden wollen, ist es wichtig, einen aufrichtigen Dialog zu führen, der andere verstehen lässt, dass Sie nicht in der Lage sind, alle Ansprüche zu erfüllen. Freunde werden dir helfen, diesen Moment zu verstehen, indem du lebst, und dir vorschlagen, deine Erfahrungen mit ihnen zu teilen. Obwohl sie Momente der Einsamkeit braucht, um zu meditieren, findet sie Zeit, ihre Gesellschaft zu akzeptieren. Sie werden es nicht bereuen.

Mars im Familienbereich von Mitte März bis Mitte Mai wird Sie motiviert fühlen, sich auf die Familie zu konzentrieren. Vielleicht möchten Sie mehr Zeit zu Hause verbringen, umziehen, neu dekorieren oder renovieren.

Wenn Sie Kinder haben, geht die Venus von Mitte Mai bis Mitte Juli in dem Sektor zurück, der Ihre Kinder regiert, Sie werden es rebellischer machen, und Sie werden viel Geduld brauchen. Möglicherweise benötigen sie Ihre Unterstützung für ein herausforderndes Problem, und Sie können ihnen helfen, sich besser geschützt zu fühlen.

Gesundheit

Sie werden anfällig für Kämpfe sein, die Stress und viel Frustration verursachen, besonders zu Beginn des Jahres, wenn der rückläufige Mars mit Ihrem Verstand spielt. Sie können mit psychischen Problemen oder vergangenen Traumata konfrontiert sein. Mars wird in diesem Bereich bis Ende März sein Ding machen. Dann haben Sie Zeit, Ihren Geist aufzufüllen und Ihren positiven Fokus wiederherzustellen.

Mitte November geben Mars und Merkur, die in Ihrem Geistesbereich teilweise rückläufig sind, Energie für großartige Ideen, Projekte und Optimismus. Wenn Merkur rückläufig ist, brauchen Sie mentale Distanz zu anderen. Neptun ist schon eine Weile in diesem Bereich und wird Ihnen weiterhin helfen, sich mit Ihrem Unterbewusstsein zu verbinden und die Vergangenheit loszulassen. Deine Intuition wird stark sein. Saturn durchquert diese Sphäre in den ersten

Märztagen und wird den Rest des Jahres bleiben. Denken Sie ernsthaft darüber nach, wie Sie mit Ihren Schatten umgehen und lassen Sie etwas Gepäck los. Saturn in diesem Bereich ist eine Bühne für eine tiefe Reinigung von Geist und Seele. Konzentriere dich darauf, deine Vergangenheit zu verstehen.

Die allgemeine körperliche Gesundheit ist gut, aber Sie können sie stärken, indem Sie Ihren Knochen mehr Aufmerksamkeit schenken. Vielleicht möchten Sie einen Chiropraktiker besuchen. Es ist von größter Bedeutung, dass Ihre Wirbelsäule und Ihre Gesamthaltung gut aufeinander abgestimmt sind.

Tipps

Du musst dich von Dingen oder Vorstellungen trennen, die nicht mehr funktionieren. Verwerfen Sie Ihre familiären oder kulturellen Konventionen, die Ihnen zu einem bestimmten Zeitpunkt gegeben wurden, aber nicht mehr funktionieren. Haben Sie keine Angst zu hinterfragen. Es ist gültig, im Leben unerfahren zu sein, aber wenn du nicht fragst, werden die Leute akzeptieren, dass du etwas weißt, das nicht real ist, und dann wirst du scheitern, weil du inkompetent bist. Wenn Sie die Antwort auf etwas nicht wissen, fragen Sie immer. So einfach die Frage auch ist, haben Sie keine Angst, jemals mehr lernen zu wollen.

Sie müssen auf Ihren Rücken achten, da versteckte Feinde Ihre Pläne untergraben und versuchen, Ihr Image zu schädigen. Wenn Sie Probleme oder andere Probleme haben, die Ihren beruflichen Fortschritt verlangsamen, ist es Zeit, sich dem zu stellen.

Holen Sie sich genug Ruhe, ein müder Geist ist ein nutzloser Geist. Persönliche Ökonomie ist wichtig, also müssen Sie sich selbst anweisen, wie Sie entscheiden sollen, und natürlich vollständig einhalten. Hüten Sie sich vor Börsenspekulationen in diesem Jahr, schützen Sie sich.

Es ist wichtig, dass Sie ernsthaft darüber nachdenken, wie Sie sich um Ihre Gesundheit und Ihre Essgewohnheiten kümmern können, ein wenig Alkohol und Tabak lassen. Wenn du es nicht in der Zeit tust, in der Saturn durch dein Haus der Gesundheit geht, wird der Planet *das Karma dir die Rechnung übergeben. Binden Sie sich nicht an Ihre archaischen Wege, integrieren Sie die notwendigen Reformen und nehmen Sie sie mit Zuversicht an.*

Stier Allgemeines Horoskop

Allgemein

Stier ist bereits an all die unkonventionellen Überraschungen von Uranus gewöhnt, denn er durchquert Ihr Zeichen seit 2018. Sie haben bereits gelernt, was eine Trommel ist, indem Sie nonstop um die vier Ecken schlagen. Uranus setzt seinen Transit durch Ihr Zeichen im Laufe des Jahres 2023 fort und wird weiterhin bedeutende Renovierungsarbeiten in verschiedenen Bereichen Ihres Lebens und Ihrer Persönlichkeit vornehmen.

Wegen dieses ewigen Transits habt ihr euch organisiert, das Wichtige wertgeschätzt und die Beziehungen gebrochen, die euch euren Raum und eure Energie geraubt haben. Uranus wird Anfang 2023 rückläufig sein, begleitet von Mars und Merkur. Versuchen Sie, Ihre Pläne in diesem Zeitraum zu überprüfen, der bis zu einem halben Monat dauert. Ein neuer, flexiblerer Ansatz bringt Ihre Perspektiven in die Realität.

Merkur kehrt Mitte Januar zu seiner direkten Bewegung im Zeichen des Steinbocks zurück und tut dies in Ihrem Gebiet im Zusammenhang mit Fernreisen. Sie packen Ihre Koffer und gehen auf die attraktive Tour, die Sie letztes Jahr abgesagt haben.

Merkur ist in Ihrem Zeichen von Ende April bis Mitte Mai wieder rückläufig, und an diesem Punkt werden Sie spüren, dass viele Details Sie entmutigen. Sie werden Tausende von Dingen zu tun haben, aber Sie werden sich müde fühlen. Dies ist kein geeigneter Zeitpunkt für eine schwierige Zeit, um neue Projekte zu starten, aber es ist angebracht, diejenigen zu überprüfen, die Sie bereits begonnen haben.

Wenn der Planet Jupiter Mitte Mai Ihr Zeichen passiert, wo es den Rest des Jahres sein wird, können Sie sich auf neue Geschäfte konzentrieren, und Sie können auch alle sich bietenden Möglichkeiten nutzen und glauben Sie mir, es wird viele geben. Dies ist eine Zeit des Optimismus und der großen Bestrebungen, nutzen Sie sie, denn sie passiert alle zwölf Jahre.

Am 28. Oktober tritt eine Mondfinsternis in Ihrem Zeichen auf, es wird die letzte für eine lange Zeit sein, es wird Ihnen wichtige Enden in Ihrem Leben bringen. Sie werden die Ergebnisse dessen sehen, was Sie getan haben, und Sie können großartige Belohnungen erhalten. Sie werden stolz auf sich sein für all die Veränderungen, die Sie in Ihrem Leben vorgenommen haben. Aber wenn Sie keine Änderungen vorgenommen haben, werden Sie große Konflikte haben. Ihr emotionaler Zustand kann während dieser Zeit schwach sein, daher wird empfohlen, dass Sie sich etwas Zeit nehmen, um sich auszuruhen und vom Alltag zu entspannen.

Wenn Venus, euer herrschender Planet, von Ende Juli bis Anfang September seine rückläufige Bewegung beginnt, wird euer Zuhause und euer Familienleben betroffen sein. Wenn Sie sich gequält fühlen, versuchen Sie, nicht selbstkritisch zu sein, planen Sie lange Ruhephasen ein oder bitten Sie um Hilfe.

Saturn wird von Ihnen verlangen, dass Sie anfangen, Ihre Träume oder Wünsche in die Realität umzusetzen, aber dies mit objektiven Plänen zu tun und sie zu materialisieren, indem Sie diszipliniert und ethisch arbeiten. Saturn möchte nicht, dass Sie pessimistisch sind, sondern klug und praktisch sind, etwas, das Sie leichttun können. Neptun wird anwesend sein, um Sie mit Ihrer Intuition zu unterstützen, wenn Sie es brauchen

Wenn Saturn, der Planet der Einschränkungen, den Wassermann durch eure Heimat des Berufs und der Verantwortung durchquert und dann heimlich Fische in euer Gruppengebiet bewegt, wo es für die nächsten zweieinhalb Jahre sein wird, werden sich alle Anstrengungen, die ihr letztes Jahr unternommen habt, auszahlen. Zu diesem Zeitpunkt werden Ihre Gewinne deutlich steigen und Sie werden sich von finanziellen Schwierigkeiten erholen.

Liebe

Stier Liebe ist dir besonders wichtig, am Ende ist dein herrschender Planet Venus, der Planet der Liebe. Wenn Sie in diesem Jahr einen Partner haben, werden Sie eine neue Herangehensweise an die Beziehung haben, weniger Kontrolle und Eifersucht, die es Ihnen ermöglicht, vollständiger zu leben. Sie werden eher bereit sein, Ihrem Partner zuzuhören und Ihre Meinungen nicht aufzuzwingen, das heißt, weniger besitzergreifend sein, und diese neue Richtung wird es Ihnen beiden ermöglichen, sich selbstbewusster zu fühlen und mehr Momente des Glücks zu erleben. Denken Sie daran, dass es für Sie in der Vergangenheit nicht funktioniert hat, besitzergreifend zu sein, da Besitzgier nur den Fortschritt einer Beziehung behindert, indem sie keinen Raum zum Atmen lässt. Unflexibel zu sein zerstört das wesentliche Gleichgewicht des Lebens. Wenn du dich auf Perfektion konzentrierst, untergräbst du dein Selbstvertrauen.

Du wirst die alten Kapitel in deinem Leben schließen, das heißt, du wirst einen Abschluss und gleichzeitig eine mentale und emotionale Öffnung haben. Es wird ein Jahr der emotionalen Erfüllung sein.

Wenn Sie Single sind, finden Sie zu Beginn des Jahres vielleicht keine Beziehung, aber Sie werden mehrere Begegnungen mit interessanten Menschen haben, und sehr entgegengesetzt zu Ihnen. Sie werden sehr bereit sein, neue Leute kennenzulernen, ohne Ausreden zu finden, das heißt, Sie werden alle Traditionen beiseitelassen, die Sie in der Vergangenheit konditioniert haben. Wenn Sie weiterhin diese sicheren Schritte unternehmen, werden Sie Ihren Seelenverwandten finden, jemanden, den Sie auf ein Podest stellen werden. Nimm dir Zeit, um irgendwelche Absichten zu etablieren, auch wenn du dich am tiefsten fühlst.

Wirtschaft

Das finanzielle Gleichgewicht ist für Sie besonders wichtig, dieses Jahr wird wirtschaftlich sehr stabil sein, Sie werden Ihr Gehalt erhöhen, Sie werden in Glücksspielen gewinnen, oder Sie erhalten eine Jobanerkennung. Wie auch immer, versuchen Sie, keine verrückten Entscheidungen zu treffen, weil Sie es bereuen könnten. Die beste Phase, um mit Projekten zu beginnen, ist nach Mai, wenn Jupiter zu Ihrem Zeichen übergeht. Ihre größte Herausforderung zu Beginn des Jahres besteht also darin, Geduld zu lernen. Seien Sie nicht schlecht gelaunt, wenn die Dinge nicht so sind, wie Sie es wollen, denn Sie werden in den ersten drei Jahren noch unvorhergesehene Ausgaben haben. Wenn das Jahr vorbei ist, wirst du nicht nur reichlich Geld haben, sondern auch gelernt haben, eine der wertvollsten Tugenden zu kultivieren: Geduld.

Glücklicherweise, wenn 2023 vorbei ist, werden Sie all den Erfolg gesammelt haben, den Sie wollen und verdienen. Ihre wichtigste Lektion, noch mehr als Geld, ist zu lernen, geduldig zu sein.

Ihr müsst in diesem Jahr, während Uranus noch euer Zeichen durchquert, sicherstellen, dass ihr einen Waffenstillstand mit euren Plänen der Sturheit schließt. Beurteile nicht die Meinungen anderer in Bezug auf Geld. Unabhängig von den Prüfungen, die das Leben auf Sie wirft, motivieren Sie sich, an der Schwelle zu stehen und überlegene Dienstleistungen zu erbringen.

Saturn wird zu Beginn des Jahres noch bis Anfang März durch Ihr Berufsgebiet fahren. Wenn Sie die Dinge richtig gemacht haben, ist es sehr wahrscheinlich, dass Sie erfolgreich waren. Wenn Saturn diesen Sektor Anfang März verlässt, wird Pluto ihn bis Mitte Juni ersetzen. Pluto in diesem Bereich erfordert, dass Sie sich auf die Ziele konzentrieren, auf die Sie sich freuen. Aus diesem Grund wirst du eine energetische Verbundenheit mit deinen Zielen spüren.

Mars startet das Jahr auch in Ihrem Wirtschaftsbereich in Rückschrittbewegung, es wird dort bis Mitte Januar 2023 sein. Möglicherweise hatten Sie finanzielle Probleme, die Sie gezwungen haben, flexibler zu sein. Wie auch immer, verzweifeln Sie nicht, denn der

Mars wird bis Ende März in diesem Gebiet sein, so dass sich die Situation schnell ändern wird und Ihnen wirtschaftliche Möglichkeiten und Vorteile geboten werden, wenn Sie aufschlussreich sind. Dies geschieht, wenn Saturn Ihren professionellen Sektor verlässt, so dass sich jede Anstrengung oder weise Entscheidung unter Saturn mit Mars auszahlen kann, bevor Sie den Weg fortsetzen.

Mit dem Asteroiden Ceres zu Beginn des Jahres in Ihrer Arbeits- und rückläufigen Sphäre, von Anfang Februar bis Mitte März, werden Sie sich nach einem Job sehnen, der es Ihnen ermöglicht, emotional, mental oder finanziell frei zu sein. Wenn Sie scheitern, werden Sie sich unmotiviert fühlen. In dieser Phase möchten Sie vielleicht wieder an etwas arbeiten, das Sie in der Vergangenheit getan haben und für das Sie eine faire Vergütung erhalten haben.

Der Planet Mars besucht Ihre Arbeitsabteilung von Ende August bis Mitte Oktober, und dieser Transit wird Ihnen viel zusätzliche Energie und Lust geben, effizienter und produktiver zu arbeiten.

Die Sonnenfinsternis, die am 14. Oktober in Ihrem Arbeitsbereich auftritt, zeigt eine Zeit der Beschäftigungsmöglichkeiten, eines neuen Jobs oder neuer stimulierender beruflicher Verantwortlichkeiten an.

Gesundheit

Normalerweise hat Stier eine ausgezeichnete Gesundheit, dieses Jahr wird keine Ausnahme sein. Es ist besonders wichtig, dass Sie sich daran erinnern, dass Stress die schlimmste Pandemie ist, aber Sie widmen Zeit meditativen Praktiken, die es Ihnen ermöglichen, Ihre Emotionen besser zu managen. Obwohl 2023 keine Komplikationen für Ihre Gesundheit lehrt, kann unverhältnismäßig fehlgeleiteter Stress Unbehagen wie Melancholie und Nervosität mit sich bringen.

Es ist obligatorisch, dass Sie Ihre Abwehrkräfte überwachen, routinemäßig körperliche Aktivitäten durchführen und gegebenenfalls in Zeiten hoher Belastung eine Therapie besuchen. Mit dieser Methode können Sie in einem optimalen Gesundheitszustand durch das Jahr 2023 reisen.

Mars durchquert Gebiete, die Ihre psychische Gesundheit von Ende März bis Mitte Mai beeinflussen können, und dies kann Ihnen viel mentale Energie geben. Wenn Sie in den vergangenen Monaten bemerkt haben, dass sie langsam sind, werden Sie sehen, dass Sie schnell Entscheidungen treffen und die Informationen sammeln können, die Sie benötigen.

Quecksilber rückläufig in diesem Bereich, beginnend mit dem Jahr bis Mitte Januar und wieder kurz rückläufig Mitte Dezember, können mehr Aufmerksamkeit auf Ihre Überzeugungen und Meinungen lenken. Dies wird dich dazu bringen, ernsthafter über Spiritualität als etwas nachzudenken, das dir bei deiner Gesundheit helfen wird.

Familie

All die spirituelle Arbeit, die du seit langem machst, hat dir geholfen, das Gleichgewicht zu bewahren, das sich in deinen Beziehungen im Allgemeinen, aber besonders in den familiären Bindungen manifestiert. Aus diesem Grund werden viele von euch als Vermittler in familiären Konflikten arbeiten und versuchen, Konformität herbeizuführen und die beteiligten Parteien zu vereinen.

Obwohl Sie ein Schlüsselelement in Ihrem Familienkern sein werden, wird empfohlen, dass Sie sich nicht verzehren lassen oder Ihre Privatsphäre verlieren, weil Sie anderen helfen wollen. Diejenigen, die Ihre Hilfe benötigen, werden sie haben, aber nicht um jeden Preis. Liebe manifestiert sich, indem sie bestimmte Grenzen setzt und sich nicht überfahren lässt.

Die Art und Weise, wie Sie Spaß mit Ihren Freunden haben, wird sich radikal ändern, da Sie sich in dieser neuen Phase in der Gesellschaft von Freunden, mit denen Sie intelligente Dialoge teilen können, viel wohler fühlen werden, und nicht mit denen, die nur die ganze Zeit feiern wollen. Das heißt, Beziehungen, die nichts Positives in Ihr Leben bringen, werden Sie loslassen, Sie werden eine tiefe Reinigung in Ihrer Gruppe von Beziehungen durchführen und nur diejenige, die sich lohnt, wird bleiben.

Die Venus wird auch Ende Juli bis Anfang September in Ihrer vertrauten Sphäre zurückgehen, frustrierende Energie in Ihrem Zuhause hinterlassen und Familienprobleme verursachen. Dies wird Ihnen den Wunsch nehmen, nach dem Arbeitstag nach Hause zu kommen.

Tipps

Ein einzigartiges Jahr erwartet Sie im Stier. Ihr werdet diesen neuen Zyklus über allen Dingen erobern und euch auf spiritueller und persönlicher Ebene weiterentwickeln. Vertrauen in das Universum und seine Fülle. Es wird ein sehr blühendes Jahr für Sie. Sie wissen, wie man Geld und Geschäfte macht.

Wer keine Arbeit hat, findet die richtige Gelegenheit, sich niederzulassen. Hüten Sie sich vor finanziellen Fallstricken und vertrauen Sie niemandem. Mehr als zwei Einkommensformen werden im Laufe des Jahres 2023 zu Ihnen kommen.

Sie müssen mutig sein, wenn Sie entscheidende Entscheidungen treffen, denn sie bringen Sie Ihren Zielen näher, auch wenn sie zunächst riskant aussehen. Denken Sie immer daran, was Sie wert sind und was Sie wollen, zwei sehr wichtige Themen, um den Platz zu erreichen, den Sie an Ihrem Arbeitsplatz verdienen.

Die Arbeit, die du machst, wird angenehmer sein, auch wenn dir die Ehre entgeht. Ihre Zeit zu priorisieren, ein Budget einzuhalten und gesundheitliche Komplikationen im Auge zu behalten, sind in diesem Jahr die Hauptaufgaben.

Weg von Lasten und Verpflichtungen. Einige wurden dir anvertraut, andere dir, mit Ausnahme des Wertes der Selbstverleugnung, der dich nicht verlässt. Es geht darum, zwischen Ihrer Gesundheit oder dem Verwöhnen anderer zu wählen. Und die Entscheidung ist klar. Du musst auf dich selbst aufpassen.

Warten Sie auf Sie, lassen Sie nicht zu, dass falsche Treue Ihre Türen blockiert. Reflektieren Sie wie ein Chef, und Sie werden am Ende einer sein. Verwalte dich selbst und du wirst der Experte in deinem Schicksal sein.

Der Fortschritt Ihres Berufs hängt von Ihrer Macht ab, Ihr Unbehagen zu manipulieren. Selbst wenn du denkst, dass die Dinge in Ordnung sind, brauchen sie Zeit, um zu funktionieren.

Verschwenden Sie nicht die Gelegenheit, jemanden kennenzulernen, der in Ihrem Leben neu ist. Gehen Sie in Ihren Berechnungen weiter.

Sie sind in einer ausgezeichneten Position, um Geschäfte zu führen, in denen Ihr Talent eine wichtige Rolle spielen wird. Aber Verschwörungen und Fallen werden Ihnen folgen, seien Sie daher vorsichtig und fragen Sie um Rat, bevor Sie Verträge in Angelegenheiten unterzeichnen, bei denen Sie sich nicht sicher sind.

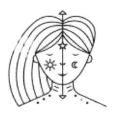

1

Gemini Allgemeines Horoskop

Allgemein

In diesem Jahr wird sich die Kühnheit von Zwillingen verdoppeln. Es wird Momente der Verwirrung geben, aber Sie werden ihnen zweifellos gegenüberstehen. Zeit der Organisation Ihrer Vorsätze, sowohl emotional als auch monetär. 2023 wird für den Kommunikator des Tierkreises ein Jahr der Entwicklung, Lehre und Autorität sein.

Mars in Ihrem Zeichen beendet seine rückläufige Periode am 12. Januar und beendet das Chaos. Merkur im Steinbock bewegt sich am 18. Januar geradeaus und beseitigt Verzögerungen, Missverständnisse und Verwicklungen in den Finanzen.

Pluto im Steinbock kriecht noch durch Ihren Wirtschaftsraum bis zum 23. März, wenn er zum Wassermann übergeht, der dort mehrere Monate bleibt. Uranus im Stier wird sich am 22. Januar direkt bewegen und den Weg für neue Lernmöglichkeiten in Ihrem Beruf ebnen, und Jupiter, der glückliche Planet, wird durch den Widder reisen und Ihnen optimistische Schwingungen senden.

Nach zwei Jahren beendet Saturn, der Planet des Karmas und der Einschränkungen, seinen Servicezyklus, indem er zu Fischen, in Ihren Berufsbereich, wechselt und Ihnen die Möglichkeit gibt, Ihr Erfahrungsfeld mit neuen Beschäftigungsmöglichkeiten zu erweitern.

Liebe

In diesem Jahr wird sich Ihre Einstellung zum Umgang mit emotionalen Problemen ändern. Wenn Sie einen Partner haben, werden

---

Sie das Bedürfnis verspüren, tief mit der Person verbunden zu sein, die Sie lieben, und Sie werden aufhören, manipulativ zu sein, indem Sie ein Verhaltensmuster etablieren, bei dem die Lösung von Konflikten durch aufrichtige Dialoge erfolgt

Wenn Sie Single sind, wird es einige Momente geben, in denen Sie die Einsamkeit genießen werden, und andere, in denen Sie wahnsinnig nach Liebe suchen, werden Sie bereit sein, neue Erfahrungen zu machen. In den letzten drei Monaten des Jahres werden Sie nicht so viel Lust haben, allein zu sein und Spaß mit Freunden zu haben, und Sie werden den Wunsch verspüren, sich zu verlieben und die Aufregung zu leben, Vertrauen mit jemandem zu haben. Glücklicherweise wird Amor Ihnen zuhören und interessante Menschen in Ihr Leben bringen, die Ihre gleichen Wünsche auf romantischer Ebene haben werden.

Wenn Ceres Anfang Februar bis Ende März in Ihrem Liebesbereich rückläufig ist, kann dies Probleme im Zusammenhang mit der Unterstützung Ihrer Lieben entstauben. Mars streckt seine Hand aus, während er von Ende August bis Mitte Oktober durch diese sentimentale Sphäre durchquert und Ihnen den Impuls gibt, Liebe mit Freude zu leben.

Eine Sonnenfinsternis am 14. Oktober erleuchtet eure sentimentale Sphäre und mit ihr kommen neue Gelegenheiten zu lieben, ihr werdet den Segen haben, die Liebe in eurem Leben zu genießen. Mars und Ceres einigen sich und Transit in ihrem Sektor von Verpflichtungen Ende November für den Rest des Jahres 2023. Dieser duale Transit wird Ihnen helfen, Ihre Beziehungen zu pflegen und sich mit Engagement wohler zu fühlen.

Wenn Sie Single sind, konzentrieren Sie sich auf die Verbindungen, die die Zukunft hat, und wenn Sie in einer Beziehung sind, kann sie gefestigt werden. Das Ende Dezember rückläufige Quecksilber in diesem Gebiet wird jedoch zu Konflikten und Debatten in den Beziehungen führen.

Pluto bekommt endlich die Zeit, sich für eine Weile aus Ihrem Liebesbereich zurückzuziehen, das Jahr bis Ende März an diesem Ort zu *beginnen und Mitte Juni für den Rest des Jahres 2023 zurückzuziehen. Pluto hat garantiert starke Innovationen in jede Facette Ihres Lebens gebracht, und all diese Metamorphose endet jetzt.*

Wirtschaft

Zwillinge haben eine große List für Geschäfte und schaffen normalerweise nützliche Ideen für sich und andere. Der einzige Weg, wie Sie diese Potenziale nutzen können, besteht darin, sich selbst zu organisieren und konsequent zu sein. Warten Sie in diesem Jahr auf viele Gelegenheiten, Unternehmen und sogar Partnerschaften mit Menschen mit großer Kaufkraft. Es ist wichtig, dass Sie nicht verzweifeln, damit Sie entscheiden können, welche die beste Alternative für Sie ist.

Es besteht die Wahrscheinlichkeit, dass Sie den Beruf wechseln, da Sie feststellen werden, dass Sie eine andere Berufung haben, dies wird Ihnen einen neuen Impuls geben und Sie werden mit mehr Wünschen und Verantwortung arbeiten. Ihre Bemühungen werden mit den Monaten belohnt, und am Ende des Jahres können Sie Ihre Erfolge ausgiebig genießen. Vergessen Sie nicht zu speichern, damit Sie auf unvorhergesehene Ereignisse vorbereitet sind, die in der Zukunft passieren können.

Neptun und Saturn bleiben für den größten Teil des Jahres 2023 in Ihrem professionellen Bereich. Neptun ist ein nebulöser Planet, der es liebt, uns in Illusionen und Fantasien zu hüllen. Saturn ist der Planet der Struktur und Moral. Sie sind einander feindlich gesinnt, also musst du diese beiden Energien möglicherweise manipulieren, um ein Gleichgewicht zwischen Vorstellungskraft und Realität zu finden, wenn deine Ziele auf dem Spiel stehen. Das heißt, manchmal werden Sie objektiv und manchmal oberflächlich sein.

Wenn Neptun dir Steine in den Weg gelegt hat, um deine Zwecke zu entdecken, kann Saturn sie verschwinden lassen. Zwillinge, die diese Phase bereits überwunden haben, werden viele angenehme wirtschaftliche

Überraschungen, Verbindungen zu wichtigen Personen und Glück bei jeder finanziellen Transaktion erhalten.

Mars kommt von Ende März bis Mai in Ihr Finanzgebiet, und dann werden Sie Ihre Taschen oder Ihr Bankkonto mit echtem Geld füllen. Sie müssen immer daran denken, nicht mehr auszugeben, als Sie erhalten.

Wenn am 5. Mai eine Mondfinsternis Ihren Arbeitsbereich einschaltet, haben Sie die Möglichkeit, über die Verbesserung Ihres Einkommens nachzudenken, indem Sie die Kreativität anwenden, die Sie auszeichnet.

At the end of November, you will have the necessary motivation to try a new job, this will be your priority, and your economic world will change drastically, for the better, with this decision.

Gesundheit

Im Jahr 2023 gibt es nichts Relevantes für Ihre Gesundheit, Sie sind natürlich ein sehr vitales Zeichen mit unglaublicher Erholungskraft. Wenn Sie jedoch nicht trainieren und ein Leben in der Freizeit führen, kann dies diese Vitalität gefährden.

Es ist ratsam, dass Sie eine Sportart ausüben, die Ihre Aufmerksamkeit erregt, dass Sie Spaß daran haben und die gleichzeitig eine Herausforderung ist, die Ihre Intelligenz erfordert. Sie sollten sich von Drogen verabschieden, Ihre Ernährung priorisieren und zur richtigen Zeit ausreichend schlafen.

Venus rückläufig im September wird Sie geistig müßig machen, daher ist es die perfekte Zeit für eine geistige Ruhe. Wenn Sie nicht können, versuchen Sie, alles fünfmal zu lesen, bevor Sie unterschreiben, und versuchen Sie, in dieser Zeit ein besserer Zuhörer zu sein.

Versuchen Sie, die Art und Weise, wie Sie kommunizieren, zu verbessern, offen für neue Ideen zu sein und mehr aus erster Hand zu sein als letztes Jahr. Ermächtigen Sie Ihre Art, auszudrücken, was Sie denken, denn Pluto wird Ihnen nach März helfen, und Sie werden in Ihren Meinungen mächtig sein, was mehr Menschen dazu bringen wird, sich mit Ihnen zu verbinden.

Uranus *zwingt dich, dich allen Traumata der Vergangenheit zu stellen, da sie das ganze Jahr 2023 in deinem Unterbewusstsein bleiben werden. Dies ist ein Jahr des Debuggens für Sie, und Sie haben eine Menge kosmischer Hilfe.*

Familie

Sie waren immer das perfekte Ziel für Ihre Familie wegen all der Probleme, die Sie in Ihren früheren Beziehungen hatten. In diesem Jahr 2023 werden Sie Ihre Gefühle deutlicher erkennen und sich leichter in Familienbräuche integrieren.

Sie werden neue und gute Freundschaften schließen, da Ihre Neugier Sie dazu bringen wird, Menschen aus verschiedenen Ebenen der Gesellschaft zu treffen, und diese neuen Verbindungen werden Ihren engen Kreis in diesem Jahr 2023 bilden. Natürlich werden einige der alten Freundschaften überleben, diejenigen, die gemeinsame Interessen mit Ihnen haben, werden bleiben, aber es ist wichtig, dass Sie sich nicht schuldig fühlen, wenn einige von Ihnen wegziehen. Wenn die echten bleiben, reicht das. Wie auch immer, denken Sie daran, dass Sie Ihr wahrer und einziger Freund sind.

Ceres wird in Ihrem Familiengebiet von Ende März bis Anfang Mai rückläufig sein, und dies wird Herausforderungen in Ihren inneren Angelegenheiten mit sich bringen. Missverständnisse mit der Familie werden an der Tagesordnung sein. Du musst dich emotional unterstützen.

Mars geht von Mitte Juli bis Ende August um Ihr Haus herum, und dies ist Ihre Chance, sich auf die Renovierung Ihres Hauses zu konzentrieren.

Tipps

Ein Jahr voller Möglichkeiten für Zwillinge. Zeit der Ruhe und Besinnung. Es ist besonders wichtig, die Instrumente zu verfeinern, um alle Möglichkeiten zu nutzen, die sich Ihnen bieten. Werte wie Beharrlichkeit, Struktur und Meditation vor der Entscheidung sind die Garantien, dass Sie ein Jahr der Brillanz und Entwicklung genießen können.

Es besteht die Möglichkeit, ins Ausland zu reisen. Wenn Sie verantwortungsvoll und umsichtig handeln, erreichen Sie alle finanziellen Ziele, die Sie sich gesetzt haben.

Die meisten Zwillinge werden gezwungen sein, schwierige Lasten auf sich zu nehmen, die sie ablehnen würden. Jede Prüfung, so unangenehm sie auch erscheinen mag, wird sie zu einer Lehre führen.

Sie müssen auf sich selbst aufpassen, denn Müdigkeit kann auftreten, wenn sie negativen Menschen ausgesetzt sind, die durch ihren Neid stimuliert werden. Intime Probleme können die Ursache für körperliche Beschwerden sein; Bis Sie davon ausgehen, dass Sie erwachsen sind; Daher müssen Sie für Ihre Handlungen verantwortlich sein.

Missbrauchen Sie Ihre Gesundheit nicht, als wären Sie ein Teenager, führen Sie Outdoor-Übungen durch, da diese Ihren Atemwegen zugutekommen.

Ein Stolpern mit jemandem aus der Vergangenheit wird dich zutiefst stören. Wenn sie es schaffen, einige Missverständnisse auszuräumen, werden sie eine wirklich nette Beziehung schaffen. Zwillinge, die einen Partner haben, müssen ihre Wutanfälle kontrollieren, um Trennungen zu verhindern.

Wenn du immer deine Schwierigkeiten erzählst, wirst du obsessive Verhaltensmuster schaffen. Sie müssen das Leben sanft nehmen und entspannen, alles leichtnehmen und sich ausruhen.

2

Allgemeines Krebshoroskop

Allgemein

Im Jahr 2023 beginnt eine neue Phase für das Zeichen Krebs. Pluto auf dem Weg durch das Zeichen Steinbock erinnert ihn weiterhin daran, wie wichtig es ist, die Blockaden zu beseitigen, die ihn weiterhin in Verhaltensmustern immobilisieren, die für sein Leben und seine Evolution im Allgemeinen nicht förderlich sind.

Merkur wird auch im Steinbock zu Beginn des Jahres rückläufig sein, was alle Ihre Pläne verwirrt. Erwarten Sie neue Neuigkeiten zu rechtlichen Fragen im Zusammenhang mit Erbschaft und Nachlass. Alle rückläufigen Perioden des Merkur im Jahr 2023 geschehen in Erdzeichen, dies fügt Ihnen Energie hinzu, um sichere Muster in Ihrem Leben anzunehmen. Saturn, während er Wassermann durchquert, erinnert Sie daran, dass es in Ihrem besten Interesse ist, alles zu zerstören, was die Verwendung Ihrer Gelder einschränkt.

2023 ist ein Jahr der vitalen Transformationen, die sich manifestieren werden, wenn ihr beginnt, eure Bindungen zu erneuern und zu einer höheren Energie zu vibrieren.

Mars wird Ihr Zeichen vom 25. März bis 20. Mai 2023 passieren, und dies ist eine großartige Gelegenheit, Sie mit Begeisterung zu erfüllen. Es ist eine Zeit für Neuanfänge, und worauf Sie sich konzentrieren, wird den Ton für die nächsten zwei Jahre Ihres Lebens angeben. Dies ist etwas, das ihr nach der rückläufigen Mars-Periode dringend brauchen werdet, *einer Phase, die eure Energie stagnierte und euch Angst vor dem Handeln machte.*

Uranus verändert weiterhin Ihren Bereich der Freundschaften und integriert neue Menschen in Ihr Leben.

Eine Mondfinsternis am 29. Oktober hilft Ihnen, bei der Arbeit voranzukommen und Ihre Träume zu verwirklichen, Sie können bereits fühlen, dass Sie auf dem Weg zur Erfüllung sind.

Liebe

Krebs hat schon immer viel Wert auf Liebe gelegt, aber ihr Fokus wird sich in diesem Jahr ändern. Sie erhalten eine optimistischere Sicht und mit weniger Hingabe.

Sie werden dieses Jahr Blind Dates vermeiden oder sich bei dem Gedanken an eine arrangierte Ehe blamieren, die sicherlich nicht von Dauer sein wird, wenn Ihr Herz es nicht will. Du bist ein Kardinalzeichen, du willst die Kontrolle über die Suche nach deinem Seelenverwandten haben, aber manchmal blockieren deine Ängste den Weg, und du verliebst dich schnell in die glückliche Person, die deine sensible Seele stiehlt.

Wenn Sie in einem Paar sind, wird sich Ihr Liebesleben ändern und alle auftretenden Konflikte können gelöst werden, wodurch all das Drama beendet wird, das in Ihrem Leben existiert hat. Oft werden Sie das Bedürfnis verspüren, sich vom Rest der Welt zu isolieren und sich auf Ihren Partner zu konzentrieren. Sie werden sich ausruhen wollen, um richtige Entscheidungen zu treffen.

Wenn Sie Single sind, wird es im nächsten Jahr viele Möglichkeiten für Sie in Liebe geben. Sie werden viel Lust haben, neue Leute kennenzulernen und Emotionen auszuprobieren, die Sie bisher ignoriert haben. Nach Juli ist es möglich, dass einige Krabben eine starke Anziehungskraft auf eine ältere Person empfinden, mit der sie eine stabile Beziehung beginnen könnten. Für andere hingegen werden sie durch die unerwartete Rückkehr von jemandem aus der Vergangenheit gelähmt sein.

Pluto fühlt sich seit vielen Jahren erstaunlich wohl in Ihrem Beziehungsbereich, und zum Glück für Sie kommt es bereits Ende März heraus, aber seien Sie nicht aufgeregt, denn es kehrt Mitte Juni zurück, um den Rest des Jahres damit zu verbringen, massive Veränderungen in Ihren Beziehungen zu verursachen.

Merkur wird Anfang 2023 in Ihrem Beziehungsgebiet bis Mitte Januar rückläufig sein und Mitte Dezember an diesem Ort wieder rückläufig sein. Diese Bewegung des Merkur wird Probleme in euren Beziehungen hervorbringen, die aufrichtig angegangen und sofort gelöst werden müssen.

Ende März und bis Mitte Juni durchquert Pluto Ihren Bereich der Intimität und drängt Sie, jede Situation zu lösen, die einen Machtkampf beinhaltet, und Saturn ist bereits in den letzten Jahren in diesem Abschnitt und wird dort bis zu den ersten Märztagen bleiben. Saturn möchte, dass, wenn dir etwas in deinen Beziehungen fehlt, du danach suchst, und wenn du einen Konflikt hast, gibst du ihm eine Lösung.

Eine Mondfinsternis am 5. Mai in Ihrem romantischen Bereich wird Ihnen helfen, Ihren Lieben näher zu sein oder stärkere Beziehungen zu ihnen aufzubauen. Ceres durchquert Ihr Liebesgebiet von Mitte September bis Ende November und Mars von Mitte Oktober bis Ende November. Zusammen werden sie dir mehr Begeisterung geben, um die Liebe in deinem Leben zu erweitern, aufmerksamer und liebevoller mit deinen Lieben umzugehen. Dies kann eine günstige Zeit sein, um eine neue Beziehung zu beginnen oder mehr Leidenschaft in die zu stecken, die Sie haben.

Wirtschaft

Das Krebsgedächtnis ist Ihr wichtigstes Werkzeug für Unternehmen. In diesem Jahr 2023 werden Sie es nutzen, um alle finanziellen Probleme zu lösen und mehr Geld zu verdienen. Ihre Beobachtungsfähigkeiten werden Ihnen helfen, alle monetären Blockaden zu überwinden, die Ihnen in den Weg kommen.

Obwohl Sie in diesem Jahr weiter streben müssen, werden Sie Ihr Bestes geben, und aufgrund dieser Einstellung werden die Ergebnisse auf professionellem Niveau bemerkenswert sein.

Viele Herausforderungen warten auf dich, aber am Ende wirst du in jeder Hinsicht belohnt. Sie müssen alle wirtschaftlichen Vorteile nutzen, die Sie erhalten, um mit Ihrem Partner oder Ihrer Familie in den Urlaub zu fahren. Dies natürlich, nachdem Sie Ihre Grundbedürfnisse gedeckt haben. Die Planeten empfehlen, dass Sie vor dem Ausgeben sparen.

Ihr seid gesegnet, den glücklichen Planeten Jupiter Anfang 2023 bis Mitte Mai in eurem Berufsgebiet zu haben, und dieser Transit schafft hervorragende Bedingungen für euren wirtschaftlichen Triumph. Konzentrieren Sie sich darauf, neue Ideen zu generieren und zu gestalten und nutzen Sie wichtige Bindungen, die in dieser Zeit entstehen.

All dieses Glück bekommt einen Schub, wenn die Sonnenfinsternis am 20. April Ihr Bankkonto beleuchtet, an diesem Punkt werden Sie sich konzentrierter fühlen. Mars kümmert sich darum, seinen Anteil am Mai bis Mitte Juli zu halten, was Ihnen mehr Energie und Begeisterung gibt, um Geld zu verdienen. Seien Sie vorsichtig, denn der Mars ist sehr energisch und kann Ihnen auch die Möglichkeit geben, ihn auszugeben.

Venus rückläufig in Ihrem Wirtschaftsraum von Ende Juli bis Anfang September, fordern Sie Ihre Finanzen heraus. Wenn Sie schlechte Entscheidungen getroffen haben, kann dies zu diesem Zeitpunkt offensichtlich sein. Denken Sie nicht daran, jetzt Geld zum Vergnügen auszugeben, weil Sie es bereuen werden. Es wird empfohlen, dass Sie, bevor dieser Moment kommt, etwas Geld gespart haben, da es Überraschungskosten geben wird.

Sie beenden das Jahr super konzentriert auf Ihre Arbeit, da Mars und Ceres Ende November Ihren Wirtschaftsraum durchqueren, zusammen mit dem rückläufigen Merkur. Mars gibt Ihnen seine Energie, Ceres stimuliert Sie, aber Merkur rückläufig in der Gleichung, bringt Probleme und Missverständnisse.

Gesundheit

Sie werden Momente der Vitalität mit anderen der Müdigkeit abwechseln. Der beste Weg, um mit dieser Instabilität fertig zu werden, besteht darin, darauf zu achten, wie Sie sich ernähren, die erforderlichen Stunden schlafen und den Arzt für Ihren jährlichen Routinebesuch aufsuchen.

Obwohl Ihnen keine größeren gesundheitlichen Probleme vorhergesagt werden, ist es möglich, dass in bestimmten Perioden Angst Sie dominiert und all Ihre Energie verbraucht. Versuchen Sie, Ihr Immunsystem zu stärken, indem Sie Vitamine einnehmen, mit der Natur in Kontakt treten oder zur See gehen, um den Duft von Mutter Erde zu atmen.

Eine ausgewogene Ernährung und die Praxis der Meditation werden in diesem Jahr die Magie in Ihrer Gesundheit bewirken.

Familie

Die Familie wird im Jahr 2023 im Mittelpunkt Ihrer Aufmerksamkeit stehen, insbesondere Ihre Kinder, egal wie alt sie sind. Da Sie bereits gelernt haben, sich von Problemen zu distanzieren, die nicht Ihre sind, was nicht bedeutet, dass Sie sich nicht um Ihre Lieben kümmern, werden Sie nur die notwendigen Dinge priorisieren und sich selbst priorisieren.

Sie werden Ihre Rolle weiterhin aus einer reiferen und ruhigeren Position heraus erfüllen, mit einem praktischeren und weiseren Ansatz, und viele Ihrer Verwandten werden Zuflucht zu Ihnen suchen, um verschiedene Probleme zu lösen.

Sie werden eine Neubewertung Ihres Freundeskreises vornehmen, Sie werden Verpflichtungen beseitigen, die nicht gesund sind, das heißt, sie sind giftig für Ihr Leben und indem Sie dies tun, werden Sie einen Raum eröffnen, um Menschen zu treffen.

Obwohl Sie weiterhin sehr verantwortlich für Familienangelegenheiten sein werden, kann es sein, dass Sie sich zu bestimmten Zeiten des Jahres davon getrennt fühlen, insbesondere von Anfang Februar bis Ende März. Fühlen Sie sich nicht schuldig wegen *dieses Verhaltens, die Wurzel ist ein Trauma aus der Vergangenheit, also versuchen Sie, damit umzugehen und sich ihm ohne Angst zu stellen.*

Die rückläufigen Perioden der Planeten in Ihrer Heimat sind Zeiten für Renovierungen, Umbauten oder den Umzug an einen Ort, an dem Sie zuvor gelebt haben. Wenn der Asteroid Ceres von Mitte Juni bis Mitte September rückläufig zurückkehrt, haben Sie bereits gelernt, wie Sie Ihr Familienleben mit mehr Disziplin und Weisheit managen können. Mars schließt sich Ceres an und durchquert Ihr Zuhause von Ende August bis Oktober und schenkt Ihnen den Wunsch, mehr Zeit mit der Familie oder zu Hause zu verbringen. Sie können zu diesem Zeitpunkt Familienfeiern planen.

Mit der Sonnenfinsternis am 14. Oktober kann sich Ihr Familienkreis erweitern, Sie können planen, Ihr Haus zu bewegen oder zu renovieren.

Tipps

Dies ist das Jahr, in dem Sie alles ernten können, was Sie in den Letzten beiden gesät haben. Sie müssen bereit sein, ohne Einschränkungen zu genießen.

Obwohl weiterhin Veränderungen in Ihrem Leben stattfinden werden, denen Sie nicht widerstehen sollten, denken Sie immer daran, dass alles, was beginnt, endet.

Abreisen mit Ihrer Familie werden stattfinden, aber sie werden nicht endgültig sein. Es wird auch viele Phasen geben, in denen es totales Familienglück in Ihrem Leben geben wird. Ihre Bemühungen werden in großem Maßstab herausgefordert werden, aber unermüdlich zu arbeiten und sich zu verpflichten, Ihr Bestes zu geben, wird jede Schwierigkeit überwinden.

Sie müssen in Ihrem Kopf die Idee säen, dass 2023 nicht die Zeit ist, Angst zu haben und gelähmt zu werden, sondern den Weg des Erfolgs fortzusetzen. Du musst Kraft aus dem schöpfen, wo es keine gibt, und nach allem streben, was du erreichen willst.

Sie können es sich nicht leisten, Ihre Gesundheit zu schädigen, daher müssen Sie nach Bedarf schlafen und ruhen sowie Sport treiben oder Sport treiben.

Beseitigen Sie alles, was giftig ist, aus Ihrem Leben, verzetteln Sie sich nicht in dem, was Sie nicht verdienen, fordern Sie, was Sie wollen.

Dieses Jahr 2023 ist ein Jahr, in dem es an Ihrem Arbeitsplatz viel Konkurrenz geben wird, wenn Sie sehen, dass die Dinge sehr konfliktreich werden, ist es am besten, einen Schritt zurückzutreten und zweimal darüber nachzudenken, ob es sich lohnt, Ihre Ruhe und Energie für Geld zu kompromittieren.

Stärken Sie Ihre empfängliche Natur und begegnen Sie familiären Konflikten mit Seelenfrieden. Ziehe deine Grenzen zu den Menschen, die beabsichtigen, dich zu dominieren oder dein Leben zu verwalten.

Diejenigen, die keinen Partner haben, werden die Liebe kennen, die sie über soziale Netzwerke gesucht haben. Amor wird mit seinem digitalen Pfeil ihre Herzen durchqueren und die Melancholie ihres Lebens wird verschwinden. Paare werden Krisenphasen haben, aber Reden wird alles lösen.

Du musst lernen, die Energievampire zu erkennen, die Teil deines Lebens sind, denn sie erfordern ständige Aufmerksamkeit und dies schädigt deine Aura auf unglaubliche Weise.

Löwe Allgemeines Horoskop
Allgemein

Löwe in diesem Jahr 2023 haben Sie die Möglichkeit, mit Ihrem Charisma zu zeigen und mit Ihrer Kreativität zu glänzen. Diese beiden Funktionen öffnen Ihnen Türen, wohin Sie auch gehen. Nicht jedes Sternzeichen wird ein Jahr so erfolgreich haben wie Sie.

Jupiter, der im Zeichen des Widders durch Ihre Heimat des Berufs geht, wird Ihnen helfen, neue Gebiete zu erkunden, strukturierte Pläne zu entwickeln und neue berufliche Kontakte zu knüpfen. Sie reisen für geschäftliche Angelegenheiten und zum Vergnügen. Sie verdienen es, nachdem Sie so viel Zeit in Kauf genommen haben, die durch soziale Distanzierung begrenzt ist.

Die Sonnenfinsternis im Widder könnte Ihr Interesse wecken, Ihre Ausbildung zu fördern, woanders hinzuziehen oder Freunde oder Familie zu treffen, die in einem anderen Land leben. Mars in Gemini wird am 12. Januar direkt vorbeiziehen und Sie dazu bringen, in den sozialen Medien aktiver zu sein. Der Bote der Götter, Merkur, bewegt sich direkt am 18. Januar und macht es Ihnen leicht, Ihre Arbeitsziele auszuführen, die seit letztem Jahr anstehen.

Uranus in Stier beginnt am 22. Januar direkt zu bewegen und wird Sie mit Problemen mit Kollegen bei der Arbeit konfrontiert machen. Saturn im Wassermann bewegt sich schnell durch Ihren Bereich der Beziehungen und strukturiert sie, so dass Sie aus denen herauskommen, die keine Funktion in Ihrem Leben haben.

Neptun im Zeichen Fische durchquert Ihren Geldbereich, indem er manchmal Ihre Augen öffnet, manchmal bedeckt, wenn mehrdeutige wirtschaftliche Komplikationen auftreten und Sie herausfordern, Konflikte zu lösen.

Pluto im Steinbock erinnert Sie daran, auf Ihre Gesundheit zu achten. Versuchen Sie, alle schlechten Gewohnheiten, die Sie beseitigen müssen, gründlich zu untersuchen, weil Pluto die mittleren Begriffe nicht versteht.

Der Mars wird von Anfang 2023 bis Mitte Januar rückläufig sein, und in diesem Stadium werden Sie Ihre Zukunft in Frage stellen, sich unsicher fühlen und einen Neuanfang planen. Treffen Sie keine Entscheidungen, bis der rückläufige Prozess von Mars und Merkur abgeschlossen ist, der sich ebenfalls in diesem umgekehrten Zustand befinden wird.

Wenn Mars Ihr Zeichen von Ende Mai bis Mitte Juli durchquert, werden Sie eine frische und saubere Energie spüren, die es Ihnen ermöglicht, neue Projekte zu starten. Konzentriere dich auf das, was dich motiviert und handle weise. Warten Sie nicht darauf, dass jemand Ihre Ideen zum Leben erweckt.

Venus wird in Ihrem Zeichen vom 22. Juli bis zum 3. September rückläufig sein, wenn dies geschieht, werden Sie spüren, dass sich alles verlangsamt und dass Ihr Energieniveau erheblich sinkt. Du wirst dich erstickt fühlen, ängstlich und du wirst sehr stur sein. Dies ist die Zeit für Sie, innezuhalten und sich auszuruhen.

Liebe

Sie sind ein altmodischer Romantiker, aber Sie sind auch ein leidenschaftlicher Sucher nach Abenteuern und dynamischen Emotionen, die Sie zittern lassen. Aus diesen Gründen werden Sie ein unvergessliches Jahr 2023 in Liebe leben.

Wenn Sie in einem Paar sind, werden Sie sich fragen, ob das wirklich die Person ist, mit der Sie Ihre Tage beenden möchten. Dies wird besonders bei Paaren passieren, die kein solides Fundament haben. Sie *sind ein Zeichen, das es hasst, Zeit zu verschwenden, und das ist etwas, das 2023 sehr präsent sein wird. Darüber hinaus sollte die Person neben Ihnen wissen, dass Sie sich darauf konzentrieren werden, beruflich voranzukommen und erfolgreich zu sein, und diese Person kann Ihre Pläne nicht sabotieren. Wenn Ihre Beziehung stark ist, wird sie all diese planetarischen Anforderungen überleben, am Ende des Jahres wird alles wie eine Disney-Geschichte sein.*

Wenn Sie Single sind, ist es ein Jahr mit vielen Möglichkeiten für Sie, schöne Menschen zu treffen, mit denen Sie von dem Moment an, in dem sie sich treffen, eine Verbindung haben werden. Die Sache ist, dein Ego ist groß, du bist selbstbewusst und du fühlst dich nicht unwohl mit deiner Einsamkeit. Du hast tiefe innere Arbeit geleistet, die es dir ermöglicht hat, in Herzensangelegenheiten weniger unschuldig zu sein. Noch vor Ende des Jahres werden viele Löwen ihren Seelenverwandten gefunden haben.

Mit Pluto, der Ihren Beziehungsbereich im Jahr 2023 von Ende März bis Mitte Juni durchquert, werden Sie Ihre Beziehungen ernster nehmen und einen Schritt in Richtung ernsthafterer Verpflichtung machen wollen. Sei vorsichtig, denn dieser Transit kann Menschen anziehen, die dich kontrollieren oder manipulieren wollen, und hier ist die Lektion zu lernen, deine Macht nicht aufzugeben.

Mit Saturn in den letzten Jahren müssen Sie in Ihrem Beziehungsbereich bereits viele schwierige Lektionen verarbeitet haben, und Sie haben bereits einige Menschen gesehen, die Ihr Leben verlassen haben. Saturn in diesem Bereich möchte, dass Sie verantwortungsbewusster mit den emotionalen Bindungen umgehen, die Sie aufbauen, und wenn Sie dies tun, konzentrieren Sie sich darauf, sie zu stärken. Wenn deine Beziehungen nichts Positives in dein Leben bringen, möchte Saturn, dass du sie loslässt. Viele Menschen werden sich von euch abwenden, aber diejenigen, die ausharren, werden treu sein.

Mars durchquert Ihren Liebesbereich Ende November und endet fast das Jahr. Mars ist der Planet der Energie, also wirst du sehr liebevoll mit denen sein, die du liebst. Sie werden mehr Zeit mit Romantik verbringen, und dies kann eine gute Zeit für Dating sein, wenn Sie natürlich Single sind.

Der rückläufige Merkur Ende Dezember ist ein Hindernis für Ihre Beziehungen. Es ist nur für eine Woche, also löst jeder Konflikt, der erscheint, ihn mit Toleranz, so dass Sie das Jahr in Frieden beenden.

Wirtschaft

2023 sind ein Jahr der Widersprüche und Herausforderungen, aber auch vieler Fortschritte auf beruflicher Ebene. Halten Sie die Augen offen, denn Sie haben viel Neid um sich herum und Kompetenz in Ihrem Arbeitsbereich. Wenn du dich auf deine Ziele konzentrierst und dich nicht auf absurde Polemiken einlässt, wirst du als Sieger hervorgehen. Wenn das Jahr beginnt, werden Sie sich festgefahren und unmotiviert fühlen, das ist nur eine kurze Phase, weil Merkur und Mars rückläufig sind.

In der Mitte des Jahres 2023 erhalten Sie zusätzliche Einnahmen, die es Ihnen ermöglichen, in neue Projekte zu investieren und Artikel oder Produkte zu erwerben, die Sie schon lange wollten. Denken Sie daran, dass Sie, selbst wenn Ihr Bankkonto voller Geld ist, nicht die Beherrschung verlieren und verrückt ausgeben sollten. Vorsicht ist zu diesem Zeitpunkt für alle geboten wegen der Rezession, die die Welt erlebt. Bessere Zeiten werden kommen, jetzt genießen, ohne in Extreme zu verfallen.

Uranus bleibt das ganze Jahr 2023 in Ihrem professionellen Bereich und tritt ab Mai zu Jupiter bei, dies wird ein besonders wichtiger Moment für Sie sein, und Sie werden gesegnet sein, Erfolg zu schmecken. Gelegenheiten werden von vielen Seiten kommen und es Ihnen ermöglichen, Menschen zu treffen, die der Schlüssel zu Ihrer Zukunft sein werden. Natürlich bringt all dies mehr Verantwortung mit sich, und es ist besonders wichtig, dass Sie Momente zum Ausruhen reservieren.

Merkur rückläufig in Ihrem beruflichen Bereich, bevor Jupiter geht, kann Ihnen ein Hindernis oder eine Enttäuschung bringen. Sie sollten jedoch nicht verfallen.

Die Mondfinsternis am 28. Oktober wird der Höhepunkt Ihres großen Erfolgs sein, und Belohnungen werden kommen, wenn Sie die Dinge richtig gemacht haben. Ausruhen ist am ratsamsten, wenn Sie nicht können, versuchen Sie, herablassend zu sich selbst zu sein und nicht nach Perfektion zu streben. Merkur kehrt kurz Mitte Dezember zurück, und in diesem Stadium sollten Sie sich um Ihren Stress kümmern. Entschleunigen Sie und verbinden Sie sich mit dem Hier und Jetzt.

Es gibt in diesem Jahr viel rückwärtsgewandte Energie in Ihrem Finanzbereich, also sollten Sie die Kontrolle nicht verlieren.

In diesem Jahr werden sich Ihnen aufgrund neuer kommerzieller Projekte neue Einkommensmöglichkeiten bieten, aber gute Kommunikation und Strategien werden unerlässlich sein, um Ihre Ziele zu erreichen. Wenn Sie wollen, dass dieses Jahr 2023 für Sie erfolgreich wird, müssen Sie sich aus wirtschaftlicher Sicht dem Kaufen und Verkaufen widmen. Unabhängig davon, was Sie vermarkten, werden Sie kosmisch bevorzugt.

Gesundheit

Wenn Sie Ihre Gesundheit im Jahr 2023 in optimalem Zustand halten wollen, müssen Sie lernen, öfter Nein zu sagen. An deiner Vitalität zu zweifeln wäre ein Fehler, aber wenn du dir die Probleme aller auf den Rücken wirfst, wirst du krank werden.

Es ist wichtig, dass Sie Übungen machen, damit Sie stagnierende Energien kanalisieren und dass Sie sich darauf konzentrieren, schädliche Gewohnheiten für Ihre Gesundheit zu beseitigen und sie durch gesunde zu ersetzen.

Familie

Leo liebt es, der Versorger der Familie zu sein und dieses Jahr wird ihnen wie immer sehr helfen. Manchmal werden die Menschen um dich herum denken, dass du in ihrem Leben abwesend bist, aber das ist nicht so, es ist eine falsche Wahrnehmung, da du auch in anderen Plänen bemerkenswert beschäftigt sein wirst.

Versuchen Sie, die Balance zwischen beruflichen Verpflichtungen und Familie zu finden, da Sie viele Anforderungen haben werden.

Sie werden die Gesellschaft Ihrer engsten Freunde suchen, um zu reisen und Spaß zu haben. Aber in diesem Jahr werden neue Freundschaften in Ihr Leben treten.

Die Mondfinsternis vom 5. Mai rührt mit ihrer intensiven Energie Ihr Familien- und Gefühlsleben. Wenn Ihre Hausfundamente nicht gut verwurzelt sind, seien Sie darauf vorbereitet, mit verschiedenen Konflikten umzugehen.

Mars durchstreift dieses Gebiet auch Ende August bis Mitte Oktober und kann auch einige Familienstreitigkeiten mit sich bringen. Eine Sonnenfinsternis schließt sich im Oktober dem Planeten Mars an, und an diesem Punkt kann alles magisch arrangiert werden.

Im Allgemeinen gibt es einige Krisen in Ihrem Familienbereich. Eine nahe Person wird anspruchsvoller sein als je zuvor, und das wird dich geistig aus dem Gleichgewicht bringen.

Tipps

Obwohl es ein intensives Jahr mit persönlichen und beruflichen Herausforderungen sein wird, raten euch die Planeten, den Kampf nicht von Stress gewinnen zu lassen und euch daran zu hindern, intensiv zu leben.

Zu lernen, emotionale Intelligenz zu haben, objektiv auf sich selbst zu schauen und Ihre Schwächen zu kennen, ist der Schlüssel für Sie, um sich zu entwickeln.

Obwohl es das Jahr ist, um zu träumen, sich zu verlieben und etwas anderes für jemanden zu fühlen, raten Ihnen die Planeten, sich nicht in Fantasien zu verfangen und die Vergangenheit loszulassen. Genießen Sie mit der Person neben Ihnen.

Versuchen Sie, die Arbeit nicht destruktiv Ihre Gesundheit beeinflussen zu lassen. Wenn Sie können, schaffen Sie eine angenehmere Umgebung in Ihrem Zuhause. Analysieren Sie die Themen Ihres täglichen Lebens, die besondere Aufmerksamkeit verdienen. Pluto wird Ihnen helfen, zu verstehen und zu verbessern. Dieser Planet heilt und wird dich dazu bringen, dich selbst zu verbessern.

Gute Zeit, um eine gesunde Ernährung zu beginnen und Sport zu treiben oder eine andere Technik zu üben, die Ihnen hilft, ein Gewicht zu erreichen, das anzeigt, dass Sie gesund sind.

Erstellen Sie Ihre eigenen Ziele und stellen Sie sich vor, wo Sie in Zukunft sein möchten. Seien Sie sehr prägnant mit dem, was Sie mögen, und planen Sie strategisch, wie Sie es erreichen können. Kontrolliere alle Emotionen, die Angst und Traurigkeit erzeugen. Stoppen Sie sie nicht, denn in manchen Momenten sind sie nützlich. Der Schlüssel ist, das Gleichgewicht zu finden, damit Sie nicht als Geiseln von ihnen gehalten werden. Seien Sie objektiv und denken Sie daran, dass die größte Unterstützung Sie selbst sind. Nach und nach wirst du dorthin gelangen, wo du willst, und wenn du es erreichst, wirst du mehr Vertrauen in dich selbst haben.

Denken Sie immer, wenn Sie mit Hindernissen konfrontiert werden, die Lektionen sind, die es zu lernen gilt.

Allgemeines Horoskop Jungfrau

Allgemein

2023 wird ein intensives Jahr der Transformation für Jungfrau sein, in dem Sie die Möglichkeit haben, geheime Projekte und Wünsche zu verwirklichen.

Diese Zeit erfordert viel Konzentration auf beruflicher und emotionaler Ebene. Sie müssen sich konzentrieren, können aber auch ein Gleichgewicht finden.

Ceres, ein Asteroid, der für die Römer die Göttin der Landwirtschaft war, wird in Ihrem Zeichen bis zum 6. Mai rückläufig sein, und dieser Einfluss wird Sie ein wenig faul fühlen lassen. Lassen Sie nicht zu, dass Hindernisse ein Vorwand dafür sind, dass Sie Ihrer Verantwortung nicht nachkommen.

Mars durchquert Ihr Zeichen von Mitte Juli bis Ende August, und dies wird Sie mit Energie füllen; Dieser Planet durchquert Ihr Zeichen nur alle zwei Jahre, also nutzen Sie diese Infusion von Begeisterung. Konzentrieren Sie sich darauf, neue Projekte zu starten, da es Ihnen nicht an Ermutigung mangelt.

Merkur geht in Ihrem Zeichen vom 23. August bis zum 15. September zurück, und das mag sich wie Lethargie anfühlen, in diesem Stadium sollten Sie zweimal überlegen, bevor Sie sprechen oder eine Nachricht senden.

Saturn im Wassermann fordert Ihre Arbeitsumgebung heraus, bis er am 7. März zu Fischen übergeht und Uranus sich das ganze Jahr über freundlich mit Ihnen verhält, während er das ganze Jahr über durch Stier unterwegs ist.

Neptun gegenüber deiner Sonne bringt Probleme aus dem Unterbewusstsein an die Oberfläche, und Pluto vollendet einen angenehmen Kreislauf, indem er alle bösen Menschen aus deinem Leben entfernt.

Mars, der Zwillinge durchquert, ist der erste Planet, der am 12. Januar 2023 in Ihrem Berufsbereich direkt antritt. Sie werden sich alle Projekte ansehen, die Sie wegen der Unsicherheit, die Sie hatten, ausgesetzt haben.

Merkur im Steinbock, am 18. Januar, geht direkt in Ihren Bereich der Romantik über und ermutigt Sie, eine Pause an einem paradiesischen Ort zu planen und sozial zu interagieren. Pluto im Steinbock durchquert dasselbe Gebiet bis zum 23. März, wenn er sich zum Wassermann bewegt. Uranus in Stier wird am 22. Januar direkt gehen und das Umfeld für Geschäfte freigeben. Jupiter, der Planet des Glücks, im Zeichen des Widders, verspricht Ihnen gute Gesundheit für Ihr Bankkonto.

Liebe

Ein sehr intensives Jahr in Bezug auf die Liebe, unabhängig von Ihrem Status. Alle Beziehungen werden eine andere Ebene erreichen.

Wenn Sie einen Partner haben, wird das Vertrauen zwischen Ihnen zunehmen, aber Sie möchten sich nicht gebunden fühlen. Es wird einige Diskussionen geben, die schließlich zurückgelassen werden und Etappen der Fülle und Ruhe erleben werden.

Wenn Sie keinen Partner haben, ist der Anfang des Jahres nicht der richtige Zeitpunkt, um nach einem Partner zu suchen. Es gibt bessere Zeiten später, also seien Sie geduldig. Sie werden kalt sein, wie viele Einladungen nach Juli gemacht werden. Jetzt ist es an der Zeit, dass du dich auf deine Karriereziele konzentrierst und dich dann auf die Liebe konzentrierst.

Neptun in deiner Beziehungssphäre wird karmische Beziehungen in dein Leben bringen, am Ende liegt es an dir, zu lernen oder Karma auszugleichen, es ist schwierig, aber niemand ist davor gerettet.

Saturn Anfang März, schauen Sie sich Ihre Beziehungen an, und jede Beziehung, die keinen Zweck mehr hat, muss zerbrochen werden. Denken Sie daran, dass Saturn der Planet der Verantwortung ist, also wenn es etwas gibt, müssen Sie nicht zögern, weil er nicht sehr geduldig ist. Jede Beziehung, die nicht konsistent ist, muss repariert werden oder aus Ihrem Leben verschwinden. Sie haben die Wahl.

Pluto hat fast zehn Jahre in eurem Liebesbereich erreicht, es war schwer, aber zum Glück ist es das Ende dieses Transits. Ihre Intimität könnte radikal reformiert worden sein, oder Sie sind über manipulative Menschen gestolpert.

Merkur beginnt 2023 in eurer Liebessphäre rückläufig zu werden, also wird es bis Mitte Januar dauern und Mitte Dezember wieder rückläufig. Das bedeutet, wenn es ein Problem in Ihren Beziehungen gegeben hat und Sie es ignoriert haben, wissen Sie, dass Sie sich dem stellen müssen, auch wenn Sie es nicht wollen.

Bei Jupiter ist Ihnen Körperkontakt wichtig. Eine Sonnenfinsternis am 20. April gibt Ihnen einen starken Schub, sich emotional in Ihre Beziehungen einzubringen. Sie werden in dieser Phase eine wichtige Entscheidung bezüglich einer intimen Beziehung treffen.

Es ist möglich, dass Sie im Jahr 2023 verschiedene und ungewöhnliche Menschen treffen werden, darunter eine, die Ihre Aufmerksamkeit auf den Punkt lenken wird, an dem Sie eine ernsthafte Beziehung mit ihr beginnen möchten.

Du wirst diese kritische Seite entfernen, die dich charakterisiert, und du wirst mit dem Universum fließen und alles genießen, was es dir in Bezug auf Liebe zu bieten hat.

Wirtschaft

2023 wird ein Jahr der Chancen im Finanzbereich. Natürlich müssen Sie immer sehr streng sein, weil wir eine globale Krise erleben, aber wenn Sie wissen, wie man intelligent ist und das Richtige wählt, sind Sie nicht gefährdet.

Ihre gute Stimmung und Intelligenz werden viele Menschen anziehen, die Ihnen anbieten, mit ihnen zu arbeiten oder zu investieren. Es ist das perfekte Jahr, um Projekte zu starten und mit Menschen zusammenzuarbeiten, die mit Ihrem Beruf zu tun haben.

Sie haben mehrere Möglichkeiten, lukrative Berufe gleichzeitig auszuüben, aber es ist notwendig, dass Sie sich sehr gut organisieren (das ist nicht schwierig für Sie), und in diesem Jahr erhalten Sie eine finanzielle Entschädigung aus Forderungen oder Schulden, die Sie lange zu sammeln gehofft hatten. Dieses Geld muss klug in Projekte investiert werden, die Ihre Einlagen erhöhen.

Sie können sich mehrere Geschmäcker geben, die schon eine Weile gewartet haben, sei es diese Schönheitsoperation, diese Reise oder der Kauf eines Hauses.

2023 beginnt mit dem rückläufigen Mars in Ihrem beruflichen Bereich, aufgrund dieser verwirrenden Energien werden Sie Ihre Ziele in Frage stellen und Sie werden einige Rückschläge in Ihrer Arbeit haben. Sie müssen sehr schlau sein, jede Frustration kanalisieren

Ein rückläufiger Asteroid in Ihrem Wirtschaftsraum stellt einige Herausforderungen in Bezug auf die Finanzen, Sie haben möglicherweise unerwartete Ausgaben oder Dinge, die Sie benötigen, steigen in letzter Minute. Sparen Sie Geld und lehnen Sie die Ungeduld immer ab, denn Ende Juni ändern sich die Dinge, wenn Sie mehr monetäre Möglichkeiten erhalten.

Von Ende August bis Mitte Oktober ist der Planet Mars für eine Transfusion seiner Energie verantwortlich, was Ihnen viele Dividenden bieten kann.

Die Sonnenfinsternis am 14. Oktober bietet Ihnen eine große finanzielle Chance. Saturn treibt Anfang März auch Ihren Arbeitsbereich in den Wahnsinn, wo er seit zwei Jahren ist, und das könnte Ihnen Konflikte mit Ihren Chefs, Kollegen oder Kunden gebracht haben. An diesem Punkt habt ihr euch daran gewöhnt und wisst, wie ihr mit diesem Chaos umgehen könnt, und obwohl es nicht angenehm ist, in diesem Tumult zu sein, erwarten euch von Ende Juni bis Oktober große Überraschungen; Alles gut.

Pluto besucht auch Ihren Arbeitsplatz, von Ende März bis Mitte Juni, und dies kann Sie motivieren, sich emotional in Ihre Arbeit einzubringen. Kämpfe so, dass dir niemand mehr wegnimmt, was dir gehört.

Diejenigen, die keinen Job haben, werden in diesem Jahr Glück haben und in der Lage sein, die Jobs zu finden, die sie am meisten mögen, und werden gute Gehälter haben.

Gesundheit

Sie sind das hygienischste und sorgfältigste Tierkreiszeichen. Es ist ein wenig seltsam für dich, krank zu werden, aber manchmal ist deine Routine so beschäftigt, dass du vergisst, dass du nicht unverwundbar für all die Viren bist, die heutzutage kommen.

Sie müssen Ihre Gelenke und Verdauungsprobleme im Auge behalten und wissen, wann Ihr Körper Ihnen eine Nachricht sendet, dass etwas nicht richtig funktioniert. Chronische Beschwerden aufgrund Ihrer Gewohnheitsänderungen werden verschwinden, aber Hautprobleme können aufgrund psychosomatischer Störungen auftreten.

Familie

Ihre Familie, aber insbesondere Ihre Kinder, werden in diesem Jahr Ihre ganze Aufmerksamkeit stehlen. Jeder wird sehr viel Aufmerksamkeit und Sorgfalt verlangen. Es besteht die Möglichkeit, dass ein Familienmitglied von Ihnen lange Zeit zu Hause bleibt und Ihre Routine unterbricht, oder dass jemand im fortgeschrittenen Alter Ihre Pflege benötigt.

Auch wenn Sie all diese Verantwortlichkeiten haben, vergessen Sie sich nicht, suchen Sie nach einem Raum zum Aufmuntern und Entspannen. Bei all diesen Anforderungen kann Ihr Körper in einem Augenblick zusammenbrechen.

Der Mars durchquert Ende November Ihr Familiengebiet und bringt viel Energie und Impulse für das Innere. Venus rückläufig von Mitte Juli bis Anfang September, bringt die schmutzige Wäsche heraus und Probleme werden in Ihrem Haus auftreten. Zähle bis zehn, bevor du jähzornig wirst. Löse alles vor dieser rückläufigen Bewegung, verbringe Zeit damit, zu meditieren und visualisiere, dass nichts ernst sein wird.

Tipps

Sie müssen Ihre Schritte sehr sorgfältig messen und den genauen Zeitpunkt zum Handeln antizipieren.

Sie müssen Ihrem Partner Raum geben, damit Sie ihn auch haben.

Dieses Jahr 2023 ist der perfekte Zeitraum für Sie, um eine Psychotherapiesitzung zu beginnen, da Sie sich frei von vielen Traumata der Vergangenheit fühlen, wenn Sie Ihr Unterbewusstsein untersuchen.

Mit der Familie musst du Festigkeit zeigen, denn wenn du keine Grenzen setzt, fahren sie wie ein Zug an dir vorbei. Wenn ihr das erreicht habt, dann werden sie euch respektieren und ihr könnt anfangen, Zugeständnisse zu machen.

Projizieren Sie Ihre Ausgaben und Sie können sich nicht vollständig um Ihre Wirtschaft kümmern. Wenn Sie Investitionen tätigen möchten, sind Transaktionen im Ausland für Sie vorteilhafter.

Der romantische Bereich ist etwas kompliziert, Sie müssen neue Verhaltensmuster annehmen, die für Sie besser funktionieren, da Sie sonst alle Ihre romantischen Beziehungen schädigen.

Das Tolerieren von Unsicherheit, sollte auf Ihrer 2023-Liste stehen, sowie die Annahme von Initiativen verhalten, beseitigt negative Gedanken. Es ist gut, sich daran zu erinnern, dass negative Gedanken genau das sind und dass sie nicht die Macht haben, deine Umstände zu erzeugen, wenn du dem nicht zustimmst. Sie definieren dich nicht, aus diesem Grund solltest du nicht mit dem verschmelzen, was in den Momenten, in denen du negativ zu vibrieren beginnst, durch deinen Geist geht.

Konzentriere dich auf die Dinge, die du ändern kannst, genieße die guten Zeiten, ohne negative Dinge vorherzusagen, was sowieso irgendwann passieren muss.

Am Ende des Tages wollen wir im Leben Spaß haben und es macht nicht viel Sinn für uns, uns selbst zu verletzen. Denken Sie an dieses Muster und Sie werden es sicherlich leichter finden, sich Situationen zu stellen.

Erinnere dich an alles, was du mitgebracht hast.

Waage Allgemeines Horoskop

Allgemein

Regen von Segnungen und Möglichkeiten in allen Lebensbereichen für Waagen im Jahr 2023.

Die Zeit ist gekommen, dir zu vertrauen und mutig zu sein, damit du all deine Ideen verwirklichen und deine Ziele erfüllen kannst. Sie haben Ihre Ziele für eine lange Zeit verschoben, und wenn Sie in diesem Jahr keine Verpflichtung gegenüber sich selbst und dem Leben eingehen, wird das Schicksal Ihnen die Rechnung ohne zweimaliges Nachdenken übergeben. Eine Waage könnte alles erreichen, was vorgeschlagen wird, was passiert, ist, dass, wenn Unentschlossenheit ihren Weg kreuzt, alles ausstehend bleibt.

Der unverschämte Bote der Götter, Merkur, wird im Zeichen des Steinbocks in Ihrem Familienhaus bis zum 18. Januar rückwärtsgewandt sein, Ihre Familienbeziehungen behindern, die Kommunikation sehr verwirrend machen und alle Verantwortlichkeiten aller Mitglieder vermischen, so dass alles chaotisch ist, wie er will.

Pluto im Steinbock in Ihrem Familienhaus möchte, dass es eine Pause gibt und dass alle Mitglieder Ihres Haushalts zustimmen, und Toleranz üben.

Uranus im Stier ist direkt in eurem Ressourcen- und Schuldengebiet stationiert, wo es seit 2022 rückläufig ist. Du könntest aus all den Schulden herauskommen, die hinter dir liegen und dir so viele Sorgen bereiten, schiebe es nicht auf.

Ceres durchläuft von Februar bis Ende März rückläufig durch Ihr Zeichen, und in dieser Zeit werden Sie das Gefühl haben, dass Sie nicht die Unterstützung und Kraft bekommen, die Sie brauchen, dass Ihnen Kapital fehlt und dass Sie voller Zweifel sind. Es wird äußere Situationen geben, die äußerst schwer zu kontrollieren sind, und Sie werden aufgeben wollen. Tun Sie es nicht.

Dies ist die Zeit, um klug und strategisch mit dem umzugehen, was Sie haben. Versuchen Sie, die alten Ressourcen, die Sie besitzen, oder andere Möglichkeiten, die in der Vergangenheit für Sie gearbeitet haben, zu nutzen, um Einkommen zu generieren.

Ihr werdet nur erfolgreich sein, wenn ihr all diese Herausforderungen als Zeichen für das Universum der Veränderungen sehen könnt, die ihr aufgrund eurer Unentschlossenheit und Nachsicht nicht vorgenommen habt. All dies wird vom 21. Juni bis zum 15. September erleichtert, wo es ratsam sein kann, sich nach all diesen Hindernissen etwas Zeit zu nehmen, um sich zu entspannen und den Triumph zu genießen.

Venus, dein Herrscher beginnt seine rückläufige Bewegung im Zeichen des Löwen vom 22. Juli bis zum 3. September, und dies kann dich wiederum subtil entmutigen. Hier wird das Thema Ihre Freundschaften sein, mit Chancen, dass einige Ihr Leben aufgrund eines Missverständnisses verlassen.

Mars durchquert Ihr Zeichen vom 27. August bis zum 12. Oktober, und dies wird Ihnen die Begeisterung geben, die Sie brauchen, um sich auf das zu konzentrieren, was Sie beginnen möchten, sei es ein Projekt oder eine Beziehung. Die Sonnenfinsternis in Ihrem Zeichen des 14. Oktober bringt Ihnen eine neue Gelegenheit und dieser Moment wird berauschend sein. Genießen Sie es in vollen Zügen. Es wird Ihnen eine größere Sichtbarkeit und die Möglichkeit geben, Ihre diplomatischen Fähigkeiten zu üben, was dazu dient, Ihre Beziehungen zu stärken.

Liebe

Schon in diesem Jahr 2023 fühlst du dich sicherer, was du willst und was du nicht willst. Sie haben bereits eine andere und viel gesündere

Meinung über Liebe in Ihrer DNA, die Sie befähigen wird, sich voller Glück zu fühlen, egal ob Sie einen Partner haben oder wenn Sie allein sind.

Jetzt, im Jahr 2023, sind Sie eine Version 2.5, bevor es eine 1.0 war. Ihr habt euch weiterentwickelt. Du klammerst dich nicht mehr an unmögliche Lieben, noch an Beziehungen, aus Angst, allein zu sein. Du hast verstanden, dass Anhaftungen nicht gut sind und auch keine toxischen Beziehungen, die deine Energie stehlen. Du lebst eine neue emotionale Realität, die darin besteht, keine falschen Erwartungen zu haben.

Wenn Sie einen Partner haben, wird davon ausgegangen, dass zu diesem Zeitpunkt Stabilität in Ihrer Beziehung herrscht. Es ist sehr wahrscheinlich, dass Sie sich entscheiden, einen zusätzlichen Schritt zu tun und ihn zu festigen, was bedeutet, dass Sie zusammenleben oder heiraten können. Wer diese Phase bereits durchlebt hat, denkt vielleicht darüber nach, Kinder zu bekommen, ein eigenes Haus zu kaufen oder das bereits eigene zu renovieren. Diejenigen, die sich auf toxische Beziehungen einlassen, werden Pläne machen, sie loszulassen und werden für eine Weile allein gelassen, um zu heilen.

Wenn Sie Single sind, werden Sie Charisma, Freundlichkeit und Freude haben, die Sie im Jahr 2023 strahlen lassen und viele ähnliche Seelen anziehen werden. Du beginnst zu verstehen, wie wertvoll es ist, dich selbst zu respektieren, aus diesem Grund wird jemand in dein Leben kommen, der dich liebt und respektiert. Viele werden mit dir teilen wollen, aber du hast es nicht eilig und du wirst dich nur der richtigen Person ergeben.

Saturn war jahrelang euer Haus der Liebe, aber schließlich zieht er sich im März zurück und lässt euch frei. Sein Aufenthalt in dieser Gegend lehrte dich, was du über die Liebe gelernt hast, und sensibler zu sein, wen und was du liebst. Es gab harte Momente, und es war schwierig, aber du hast nicht nachgegeben. Wenn du in diesen Momenten die Lektionen des Herrn des Karmas gelernt hast, musst du eine reifere Person sein, die weiß, wie man solide Beziehungen hat.

Pluto bewegt sich von Ende März bis Mitte Juni in eure Liebessphäre, und dies kann mehr Intensität in die Liebe bringen. Dieser Transit ist schwierig, besonders für die Waagen, die nicht mit Saturn gelernt haben, weil Pluto kommt, um seine Mission zu vollenden, und mit ihm gibt es keinen Mittelweg. Entweder du tust es oder du tust es. Dies wird sich in Machtkämpfen und Manipulationen innerhalb einer Beziehung manifestieren.

Jupiter wird ab 2023 bis Mitte Mai in Ihrem Beziehungsbereich sein, und dies wird Ihnen die Möglichkeit geben, sich mit Menschen und Ihren Zielen zu beschäftigen. Sie können neue Geschäftspartnerschaften eingehen.

Eine Sonnenfinsternis findet in diesem Gebiet am 20. April statt, und Sie müssen um dieses Datum herum eine wichtige Entscheidung treffen.

Uranus ruht das ganze Jahr über bequem in Ihrem Bereich der Intimität und rührt Dinge auf, die mit Ihren körperlichen, geistigen und emotionalen Bindungen zusammenhängen. Jupiter schließt sich Uranus im Mai für den Rest des Jahres 2023 an, und hier haben Sie die Möglichkeit, das Vertrauen in Ihre Beziehungen zu erweitern.

Merkur, der in Ihrer Intimsphäre zurückgeht, bevor Jupiter von Mitte April bis Mitte Mai einzieht, kann ein Vertrauensproblem aufwerfen, das zu Machtkämpfen führen wird.

Die Mondfinsternis vom 28. Oktober löscht aus Ihrem Leben alle toxischen Beziehungen, die Sie nicht aus Ihrem Leben genommen haben, ob Freunde, Partner oder Familie.

Wirtschaft

Ein bemerkenswert erfolgreiches Arbeitsjahr für die Waage. Im Vertrauen auf Ihre Fähigkeiten und Intelligenz bringen Sie Ihre Projekte voran.

Das zusätzliche Geld wird aufgrund Ihrer Arbeit und Ihres Engagements kommen und es Ihnen ermöglichen, sich einen Geschmack zu geben, den Sie schon lange zu genießen gehofft haben.

In einigen Monaten des Jahres müssen Sie sich mehr anstrengen als andere, aber im Laufe der Zeit werden Sie sich mit Menschen verbinden, die Ihnen helfen und Ihr Leben einfacher machen. Jede Gesellschaft ist dazu bestimmt, erfolgreich zu sein.

Neptun zwingt dich weiterhin, eine spirituelle Verbindung mit deiner Arbeit zu deiner Priorität zu machen. Möglicherweise benötigen Sie ein Arbeitsumfeld, in dem es keine strengen Regeln gibt oder in dem Ihr Chef Sie nicht ständig beobachtet. Du kannst auch spirituelle Inhaltsarbeit leisten, wo du anderen hilfst.

Saturn ab März wird ein besonders wichtiger Planet in deinem Leben sein, da er dich mit dem verbinden wird, was du liebst. Saturn hasst es jedoch, wenn Sie fanatisch und nervös sind, also versuchen Sie, intelligente, gut durchdachte Entscheidungen zu treffen, du sammeln Sie alle Informationen, bevor Sie handeln. Saturn kann dich belohnen und du kannst mehr vorteilhafte Möglichkeiten haben, obwohl ich dich daran erinnere, dass all dies mit mehr Verpflichtungen einhergeht.

Mars von Ende März bis Mitte Mai wird Sie ehrgeiziger und begieriger fühlen, die Welt zu erobern. Sie werden nicht nur mehrere Menschen beeindrucken, sondern auch phänomenal erfolgreich sein.

Am 5. Mai tritt eine Mondfinsternis in Ihrer Finanzsphäre auf, Ihre Projekte oder Arbeiten werden beginnen, Gewinne zu erzielen, und Sie werden sehen, dass große Geldbeträge auf Ihr Bankkonto gelangen. Dies wird passieren, wenn Sie die Dinge richtig gemacht haben, sonst werden Sie einen sehr tiefen finanziellen Einbruch erleiden. Versuchen Sie also, diszipliniert zu sein, damit Ihnen das nicht passiert.

Mars von Mitte Oktober bis Ende November, gibt Ihnen eine der besten finanziellen Phasen Ihres Lebens, die Planeten raten Ihnen, das Beste aus dieser Gelegenheit zu machen, denken Sie daran, auch zu sparen, denn wenn Sie das gleiche ausgeben, wie Sie verdienen, bleiben Sie mit nichts.

Gesundheit

In Bezug auf die Gesundheit wird es ein gutes Jahr, aber der grundlegende Rat für Sie ist, Ihre Emotionen auszudrücken, denn auf diese Weise fließt die Energie und stagniert nicht. Manchmal willst du andere nicht verletzen und du hältst alles zum Schweigen, und das schadet dir innerlich sehr, schadet deiner geistigen, körperlichen und emotionalen Gesundheit.

Sie müssen lernen, zu sagen, was Sie fühlen, sich erlauben, Angst, Wut oder sogar Trägheit zu fühlen, wenn nötig, da dies der einzige Weg ist, wie diese Emotionen verlassen können und nicht in Ihrem maurischen Feld stecken bleiben und dann zu Krankheiten wie Allergien, Atemwegsproblemen, Verdauung und Migräne werden.

Meditation, tägliche positive Affirmationen, Übungen, ausgewogene Ernährung und Ruhe sind unerlässlich, um Ihr Energieniveau zu erhalten und eine wunderbare Gesundheit zu gewährleisten.

Familie

Schließlich verschwinden all die Familienkonflikte, die Sie in den letzten Jahren gequält haben, im Jahr 2023. Ihr werdet eure Diplomatie fortsetzen und Frieden in eurer Familie schaffen, und mit eurer Fürsorge könnt ihr das gewünschte Gleichgewicht aufrechterhalten.

Denken Sie daran, dass der Groll und die Traumata der Vergangenheit dortbleiben müssen: in der Vergangenheit. Dies ist notwendig, wenn Sie in Harmonie mit Ihrer Familie leben wollen. Das bedeutet nicht, dass du deine Prinzipien und Denkmuster aufgibst, sondern nur deine Toleranz erweiterst.

Sie haben eine monumentale Fähigkeit, Freunde zu finden, und das ist bewundernswert, in diesem Jahr werden Sie weiterhin Freunde finden, die Sie zu treffen, Partys oder Aktivitäten einladen, die Ihren Hobbys und Werten bemerkenswert ähnlich sind.

Manchmal wirst du nicht die ganze Zeit haben, die du gerne mit deiner Familie verbringen würdest, aufgrund all der Arbeit, die du haben wirst, aber es werden vorübergehende Zeiten sein, in denen du dich wirklich extrem auf deine Projekte konzentrieren musst.

Pluto möchte, dass Sie in diesem Jahr überdenken, was Familie für Sie bedeutet und wen Sie als Familie betrachten. Deine Freunde werden diejenigen sein, die dir bei all den Veränderungen helfen, die du vornehmen möchtest, und sie werden bei dir sein, um dir viel Kraft und Ermutigung zu geben.

Tipps

Die Forderung nach Harmonie und Ausgeglichenheit war schon immer der große Sinn in Ihrem Leben. Diese Wünsche beginnen sich 2023 zu verwirklichen.

Eine Grenze zwischen Ihren Bedürfnissen und denen anderer zu schaffen und von Zeit zu Zeit "Nein" zu sagen, damit Sie die Priorität in Ihrem Leben haben, ist besonders wichtig, wenn Sie im Jahr 2023 erfolgreich sein wollen.

Bei der Arbeit müssen Sie mit großer Aufmerksamkeit vorgehen und mit der Gewissheit, dass Ihre Vorsätze ein entscheidendes Gewicht in den von Ihnen durchgeführten Projekten haben werden. Folgen Sie den Intuitions-Downloads, die Sie haben, denn diese sind diejenigen, die Ihnen die Abkürzungen zu Ihren Zielen zeigen oder Sie vor versteckten Gefahren warnen.

Waagen, die zu Beginn des Jahres einen festen Job haben, erhalten Vorteile, um den Arbeitsplatz zu wechseln, aber es wird empfohlen, dies nicht zu tun, wenn sie sich nicht überzeugt fühlen, da sie Situationen betrügen könnten, die später nicht erfüllt werden.

Sie müssen Ihr Haus organisieren, dieses Haus ist Ihr Körper, wenn Sie eine günstige Gesundheit haben wollen. Wenn Sie die Möglichkeit haben, eine Therapie zu erhalten, wird Ihr Geist in Harmonie sein.

.

Allgemeines Skorpion-Horoskop

Allgemein

Im Jahr 2023 können Sie nach so viel Warten alles erreichen, was Sie wollen. Es bedeutet nicht, dass Sie aufhören werden, es zu versuchen, aber die Dinge werden nach zwei Jahren der Transformation viel einfacher für Sie sein. Wagen Sie es in diesem Jahr, Sie selbst zu sein, Ihre wahre Essenz zu zeigen, und Sie werden sehen, wie Erfolg und Wohlstand in Ihr Leben kommen.

Während sich der Planet Uranus zu Beginn des Jahres in rückläufiger Bewegung durch das Stierjahrhundert befindet, werdet ihr weiterhin eine Umstrukturierung in eurem engen Freundeskreis und in euren Beziehungen vornehmen. Die Finsternisse von 2022, insbesondere die vom 8. November, haben die Grundlagen eurer engsten Beziehungen erschüttert, und diese Auswirkungen werden noch bis Mai in Kraft sein.

Wie auch immer, entfernen Sie Ihren Sicherheitsgurt erst im Oktober, wenn eine weitere Sonnenfinsternis im Zeichen des Widders auftritt, die Ihrem Unterbewusstsein einen starken Schlag versetzen wird.

Der Mars, der durch Zwillinge durchquert, beendet seine rückläufige Bewegung im Januar, durch Ihren Finanzbereich, und hier enden Ihre finanziellen Unregelmäßigkeiten.

Merkur beginnt das rückläufige Jahr im Steinbock bis zum 18. Januar, in Ihrem Kommunikationsbereich, achten Sie genau auf die Art *und Weise, wie Sie kommunizieren, die E-Mails, die Sie senden, und kaufen Sie an diesen Tagen keine elektronischen Geräte.*

Pluto im Steinbock genießt es, Änderungen an Ihrer Persönlichkeit vorzunehmen, bis zum 23. März, wenn er seinen Transit zum Zeichen des Wassermanns macht, dort für mehrere Monate und dann zurückkehren wird, um alle anstehenden Angelegenheiten abzuschließen.

Jupiter, der glückliche Planet durchquert das Zeichen des Widders durch Ihren Gesundheits- und Arbeitsbereich, dies ist ein unglaublich positiver Transit für Ihre Vitalität und um jedes Projekt abzuschließen, das mit retrograden Bewegungen verzögert wurde.

Saturn beendet seine zweijährige Zeit im Wassermann für Ihr Familienhaus, wo er Sie gezwungen hat, alle Familienprobleme zu lösen und Ihrem Zuhause Struktur zu geben. Am 7. März zieht der Herr des Karmas und der Einschränkungen im Zeichen der Fische in Ihr Zuhause der Romantik und des Spaßes.

Mars wird Ihr Zeichen vom 12. Oktober bis zum 24. November passieren, und in diesen Monaten werden Sie spüren, dass Sie eine andere Energie haben und viel mehr Begeisterung als sonst haben werden. Dies ist eine perfekte Bühne, um neue Unternehmen oder Projekte zu gründen. Der Asteroid Ceres in Ihrem Abonnement in diesem Zeitraum wird Ihnen zusätzliche Ressourcen gewähren und Ihnen das Gefühl geben, bei allem, was Sie beginnen, sicher zu sein.

Am 5. Mai tritt in Ihrem Zeichen eine Mondfinsternis auf, die Ihre Emotionen stimuliert, und Sie werden den Mut haben, die Änderungen vorzunehmen, die Sie während der Finsternisse 2022 nicht vorgenommen haben. Denken Sie daran, dass in Zeiten von Eklipse die Empfindlichkeit zunimmt, also versuchen Sie, nicht Sie selbst zu sein.

Liebe

Dies wird ein Jahr der Intensitäten in der Liebe sein, etwas sehr Typisches für dein Zeichen, aber du wirst ein Gleichgewicht in deinen Beziehungen erreichen, wenn du es vorschlägst. Denken Sie daran, andere nicht für ihre Handlungen zu verurteilen, weil wir alle unterschiedlichen

Wege und Missionen haben, und sich selbst nicht zu verurteilen. Dies gibt dir die Möglichkeit, in deinem sentimentalen Bereich voranzukommen.

Wenn Sie bereits einen Partner haben, sollten Sie einen Reißverschluss in den Mund nehmen, um die Person neben Ihnen nicht zu kritisieren, Sie müssen einfühlsam sein und Ihrem Partner erlauben, seine Wünsche auszudrücken, denn nur so wird er ein gegenseitiges Verständnis erreichen. Lerne zu geben und zu empfangen und die Gefühle anderer nicht so manipulativ zu behandeln. Jedes Problem begegnet ihm mit guter Laune.

Wenn du Single bist, werden besonders gute Aussichten auf deinem Weg erscheinen, aber dafür musst du deinen Freundeskreis erweitern und die Maske abnehmen, damit du dein wahres Selbst lehrst, sonst wirst du in den gleichen bösartigen Mustern der Vergangenheit weitermachen. Wenn du dich selbst akzeptierst, werden andere dich auch akzeptieren, das ist eine Herausforderung, aber es ist möglich, und es wird die Art und Weise sein, wie du diese besondere Person anziehst, mit der du dein Leben teilen möchtest.

Mit dem Transit zu Beginn des Jahres des Mars in rückläufigen Zwillingen besteht die Herausforderung darin, Ihre emotionalen Bindungen zu stärken, und es ist möglich, dass Schwierigkeiten bekannt werden, denen Sie aus Angst das nächste Jahr nicht stellen werden. Dies ist Ihre Chance, alles, was nicht funktioniert, in einen Sack zu packen und wegzuwerfen. Wenn du das tust, werden neue und andere Menschen in dein Leben kommen.

Merkur, der Mitte April bis Mitte Mai rückläufig ist, gibt Ihnen die Möglichkeit, Ihre Beziehungen erneut zu überprüfen, und jedes Problem oder jede Person, die noch aussteht, kann Sie loswerden. Schon wenn die Mondfinsternis vom 28. Oktober stattfindet, werden Sie von gesunden Beziehungen umgeben sein, und wenn es zufällig eine gibt, die nicht gut funktioniert, beobachten Sie sie mit einer Lupe und Sie wissen, was Sie tun müssen.

Neptun in deinem Liebesbereich im Laufe des Jahres 2023 kann karmische Beziehungen in dein Leben bringen, mit denen du vergangene Lebensverträge hast, oder dich motivieren, eine spirituelle Verbindung mit denen um dich herum herzustellen. Denken Sie daran, dass Liebe manchmal Opfer ist.

Saturn schließt sich Anfang März Neptun an. Wenn es bei Saturn zufällig etwas gibt, von dem du nicht gelernt hast, gibt dir der Herr des Karmas die Möglichkeit, es zu tun. Du musst deine Traumata dort lassen, wo sie hingehören und den Moment mit mehr Freude genießen, wenn jemand keinen positiven Einfluss auf dein Leben ausübt, musst du loslassen.

Wirtschaft

Ihr unternehmerisches Talent und Ihr Charisma, in einem Team zu arbeiten, werden Sie viele Arbeitsprojekte gewinnen lassen. Es ist möglich, dass Menschen mit unterschiedlichen Ansätzen auf Sie zukommen, um mit Ihnen zusammenzuarbeiten, von ihnen zu lernen.

Sie werden sehen, wie sich andere Aspekte und Fähigkeiten Ihrer Persönlichkeit in Ihrem Bereich des Berufs entwickeln, Fähigkeiten, die verborgen waren, und das wird der Schlüssel sein, um Ihre Mitarbeiter zu ergänzen und jede Idee zum Erfolg zu führen.

Nach August werden Sie anfangen, viel Geld aus Ihren Investitionen der vergangenen Monate zu generieren. Die Planeten empfehlen Ihnen, nicht übermäßig auszugeben, da Sie andere Investitionsmöglichkeiten erhalten.

Jupiter, in Ihrem Wirtschaftsbereich bis Mai, bringt Ihnen bis Mitte Mai besonders gute Geschäfts- und Jobmöglichkeiten.

Eine Sonnenfinsternis beleuchtet Ihren Arbeitsbereich am 20. April, und wenn Sie hier schlau sind, können Sie viele Anerkennungen und materielle Vorteile verdienen.

Mars, der energische Krieger, kümmert sich von Ende Mai bis Mitte Juli um Ihre Arbeitsangelegenheiten, indem er Ihre Ambitionen erhöht und Ihnen starke Impulse gibt, um erfolgreich zu sein. Es ist wichtig, dass

Sie diese Energie nutzen, denn dann wird die Venus in dieser Sphäre von Ende Juli bis Anfang September rückläufig sein, und es kann Sie ein wenig langsam und faul machen, außerdem kann dies eine Zeit unerwarteter Rückschläge sein, die Ihre Ziele verlangsamen werden.

Danke Mars noch einmal, wenn er dir im November und für den Rest des Jahres 2023 all die Energie geben wird, die ihn auszeichnet und dir helfen wird, finanziell zu wachsen. Sie werden viele Ressourcen generieren und Sie werden nicht aufhören, Geld zu verdienen, natürlich, wenn Sie mit Ihren Entscheidungen klug sind. Dies ist eine der reichsten und wohlhabendsten Perioden des Jahres für Sie, versuchen Sie, alles unter Kontrolle zu halten. Der rückläufige Planet Merkur in Ihrem monetären Abschnitt in der letzten Dezemberwoche wird jedoch unerwartete Ausgaben mit sich bringen oder Ihre Finanzpläne entgleisen. Sie sollten wachsam sein, nur für den Fall, dass Sie Notfallmaßnahmen ergreifen müssen.

Gesundheit

Eine sehr stabile Gesundheit wird Sie im Jahr 2023 begleiten. Das Einzige, was Sie dazu bringen kann, Ihre Vitalität zu verlieren, ist Stress. Aus diesem Grund ist es wichtig, dass Sie die Ruhezeiten einhalten und Spannungen bei der Arbeit vermeiden, wenn Sie zur Therapie gehen können, wäre es empfehlenswert. Meditieren ist eine weitere gute Option, da Sie der Belastung Ihrer Schultern nicht standhalten können.

Ihr müsst euer Unterbewusstsein von Problemen und Traumata der Vergangenheit befreien, Anfang Januar könnt ihr diese Arbeit der Reinigung tun, wenn die Planeten und karmischen Punkte diese Ziele begünstigen.

Übungen oder Aktivitäten wie Tanzen oder Malen, auch zu Hause, helfen Ihrem Körper und Geist, Giftstoffe freizusetzen. Versuchen Sie, den Verzehr von proteinreichen Lebensmitteln und Vitaminen zu erhöhen. Essen Sie nicht in Eile, genießen Sie Ihr Essen. Wenn Sie stärkere körperliche Arbeit durch einfacheres Ersetzen, können Sie die Muskeln tief entspannen.

Es besteht die Möglichkeit, dass Sie aufgrund von Muskelverspannungen unter Kopfschmerzen leiden, und das beste Mittel dafür ist, Yoga oder eine asiatische Disziplin zu praktizieren, die Sie mögen.

Familie

Sie werden zu Beginn des Jahres aufgrund des Arbeitsstresses und verschiedener Beziehungskonflikte etwas unerträglich sein, Sie werden eine gewisse Intoleranz gegenüber Ihren Verwandten zeigen. Versuchen Sie, einen Rahmen von Prioritäten festzulegen und die Menschen um Sie herum wissen zu lassen, damit Sie die Unterstützung erhalten, die Sie benötigen.

Neue Freundschaften werden 2023 in Ihr Leben kommen, wenn Sie sich entscheiden, Ihre Persönlichkeit auf authentische Weise zu zeigen. Vertreiben Sie Angst und Misstrauen. Sie müssen den Mut haben, neue soziale Kreise und andere Umgebungen zu besuchen, die sich von denen unterscheiden, an die Sie es gewohnt sind.

Saturn in Ihrer Heimatregion bis Anfang März bedeutet, dass Sie sich alten Familienproblemen stellen müssen. Sie werden den plötzlichen Wunsch verspüren, von allem wegzukommen, was Konflikte auf Familienebene mit sich bringt. Sie werden keine Ahnung haben, wie Sie Versöhnung in Ihrem familiären Umfeld erreichen können, aber es wäre gesund für Sie, auf das zu hören, was Ihre Verwandten Ihnen sagen wollen.

Pluto zieht 2023 in dieses Familiengebiet und verleiht diesen Problemen mehr Intensität, wenn Sie also ein ruhiges Familienleben wollen, müssen Sie sie lösen.

Deine Emotionen werden stärker sein, also versuche, Geduld und Toleranz zu bewahren, damit du die Situation nicht verschlimmerst.

Tipps

Es ist an der Zeit, deine Leistungen anzuerkennen und dir selbst ein Geschenk zu machen. Es ist das Jahr, in dem wir darauf vertrauen können, dass das Universum auf, das reagiert, was wir uns wünschen und projizieren.

Sie müssen verhindern, dass häusliche Verpflichtungen Ihr Sozial- und Arbeitsleben behindern.

Ihr müsst daran denken, dass ihr von euren Geistführern und Engeln beschützt werdet, und aus diesem Grund müsst ihr euch besonders fühlen. Lesen Sie mehr über spirituelle Themen, denn sie bringen Sie der Wahrheit näher und bringen Ihnen viel inneren Frieden.

Machen Sie einen Vorschlag, um jemandem etwas Gutes zu tun, widmen Sie Ihre Zeit gerechten Zwecken, es gibt Millionen von Menschen, die Hilfe brauchen. Geben fühlt sich gut an.

Lernen Sie, aus Vertrauen in Beziehung zu treten und zu kommunizieren, denn dies erhöht Ihr Selbstwertgefühl, etwas Wesentliches für Ihr Wohlbefinden.

Ihr müsst vollständig leben und um das zu erreichen, müsst ihr lernen, alle negativen Gedanken zu unterdrücken, die euch euren Frieden nehmen. Wenn du dir zu viele Sorgen machst, wirst du krank und wirst nicht in der Lage sein, alles Wunderbare in unserer Welt zu genießen.

Wir übertreiben Sorgen immer mit unserer Vorstellungskraft, 90% der Zeit machen Sie sich Sorgen, Dinge passieren nicht einmal.

Schütze Allgemeines Horoskop

Allgemein

In diesem Jahr werden deine vergangenen Erfahrungen dir helfen, besser zu leben, du solltest wissen, dass alle Lektionen der vergangenen Jahre aus irgendeinem Grund passiert sind, und du kannst nicht leugnen, dass du jetzt eine andere Person bist.

Nur weil du Weisheit erlangt hast, heißt das nicht, dass du nicht weiter durch die Hindernisse lernen wirst, die das Leben für dich bereithält, um dich in diesem langen Rennen des Schicksals zu entwickeln. Was jetzt, in diesem Jahr 2023, wird es für Sie einfacher sein, dank dieser Erfahrung jede Schwierigkeit zu lösen. Der Transit von ACrux, einem Fixstern, der mit Esoterik zu tun hat, wird Ihrer Hartnäckigkeit, aber auch panierten Ladungen Bitterkeit verleihen.

Merkur im Steinbock, rückläufig bis zum 18. Januar, kann einige Stolpersteine in Ihre Finanzen bringen. In diesem Stadium werden Sie Schwierigkeiten haben, sich zu konzentrieren, und Sie werden leicht abgelenkt werden. Dies kann dazu führen, dass du anderen gegenüber der Falschen sagst, da du vollständig verstehen wirst, was sie gesagt haben. Der Clown, der in dir lebt, wird andere dazu anregen, sich durch deine raue Art zu sprechen geschmäht zu fühlen.

Pluto im Steinbock bis zum 23. März, wenn er seinen Übergang zum Wassermann macht, wo er mehrere Monate lang Ihre Verhaltensmuster in Bezug auf Geld verändern wird.

Uranus in Stier geht am 22. Januar direkt und macht Ihren Weg frei, damit Sie neue Geschäftsmöglichkeiten erforschen, sich um Ihre Gesundheit kümmern und effizienter arbeiten können. Uranus möchte auch, dass Sie mehr Verantwortung dafür haben, wie Sie Geld ausgeben.

Jupiter, der glückliche Planet, in Widder, in Ihrem Bereich der Spekulation und Romantik, ermutigt Sie, riskanter beim Glücksspiel zu sein und Ihren Kindern mehr Aufmerksamkeit zu schenken.

Saturn auf dem Weg durch Aquarius beendet seinen Zweijahresvertrag in Ihrem Bereich der Kommunikation, Interaktion mit Familienmitgliedern und digitalen Systemen. Wenn er zu Fischen wechselt, in Ihr Familiengebiet, wird er die Organisation Ihres Hauses überwachen und sicherstellen, dass alle Menschen, die es zusammensetzen, sich verstehen und miteinander auskommen. Sie können auch Krisen mit Ihren Chefs und mit Autorität im Allgemeinen ausgesetzt sein, damit Ihre Rebellion die Regeln respektiert, die aus Ihrer Sicht Ihre Kreativität und Ihre Art, auszudrücken, einschränken.

Rückläufiger Merkur in Ihrem Zeichen wird Ihnen Probleme und Konflikte bringen, die Sie erschöpft fühlen lassen, oder Sie werden unentschlossen sein, welche Entscheidungen Sie treffen sollen.

Der Mars wird für den Rest des Jahres 2023 durch Ihr Zeichen vom 24. November gehen und allen dunklen Impulsen ein Ende setzen, die Sie in der Vergangenheit zurückfallen ließen, insbesondere diejenigen, die sich auf Ihre persönlichen und geschäftlichen Beziehungen beziehen. Jedes Mal, wenn Mars ein Zeichen passiert, gibt es Energie und Begeisterung, so dass die Person ihre Ziele verfolgen kann und bietet den Impuls, Maßnahmen zu ergreifen, um Fehler zu korrigieren. Es wird empfohlen, dass Sie jeden Plan, den Sie im Sinn haben, geheim halten, um ihn zu gestalten, denn wenn Sie ihn offenlegen, werden sie ihn sabotieren.

Im Jahr 2023 treten Ende Oktober zwei Finsternisse auf. Eine neue Sequenz von Finsternissen beginnt am 20. April im Widder und eine weitere in Waage Mitte Oktober. Während dieser Jahreszeit ist es wichtig, dass Sie Ihren Sinn für Humor nutzen, damit Sie die Konflikte überleben können, die auftreten können.

Liebe

Ein sehr intensives Jahr voller Überraschungen in der Liebe. Wenn Sie bereits einen Partner haben, werden die ersten Monate harmonisch und ohne neue Nachrichten sein, aber das ändert sich Mitte des Jahres, wenn eine Person aus Ihrer Vergangenheit in Ihr Leben zurückkehrt und Sie darüber nachdenken lässt, ob die aktuelle Beziehung diejenige ist, die zu Ihnen passt.

Wenn Sie keinen Partner haben, werden Sie viel Wunsch haben, einen zu haben, aber bis Sie vergangene Probleme auf einer unterbewussten Ebene abgeschlossen haben, werden Sie nicht bereit sein, mit jemandem zu beginnen, da Ihr emotionaler Zustand der Beziehung viel Schaden zufügen kann.

Mit dem Planeten Mars rückläufig in Ihrem Beziehungsbereich kann es zu Beginn des Jahres aufgrund bekannter vergangener Situationen oft zu einem Zusammenbruch kommen. Ein verborgenes Geheimnis eurer Beziehung wurde enthüllt, das euch dazu brachte, die Entscheidung zu treffen, sie zu verlassen, weil ihr nicht die Fähigkeit hattet, damit in eurem Verstand und Herzen zu leben.

Jupiter ist auch bis Mai in deinem Bereich der Liebe, also musst du dich von deinem Herzen leiten lassen, wenn du entscheidest, wem es gehören wird. Wenn Sie Single sind, gibt es viele Potenziale auf Ihrem Weg. Wenn Sie einen Partner haben, werden Sie neben einem paradiesischen Ort entkommen und Sie können Momente großer Leidenschaft genießen.

Liebe wird intensiv in deinem Leben, wenn am 20. April eine Sonnenfinsternis in diesem Gebiet stattfindet. Diese Energien sind auch förderlich, um ein neues Projekt oder Geschäft zu gründen, das Sie schon eine Weile im Kopf haben, was viele Gewinne generieren wird. Du wirst keine Angst haben und du wirst Risiken eingehen, und da du eine Person bist, die Herausforderungen liebt, wirst du die Fähigkeit haben, alle Widrigkeiten zu überwinden, die auf deinem Weg erscheinen.

Wirtschaft

Sie sind ein Zeichen, das auf Erfolg ausgelegt ist, aber in letzter Zeit war dies nicht so.

Ihr habt viel gekämpft und außerordentlich wenig erreicht; Dies endet im Jahr 2023, weil Sie von der Knappheit zum Wohlstand übergehen werden, und es wird groß sein. Alle Projekte oder Ideen, die Sie haben, werden wahr werden, und Sie werden sogar einige neue Unternehmen haben, die Ihnen große Einkommensquellen und materielle Vorteile bieten.

Ihr werdet eine Partnerschaft mit einer anderen Person eingehen, und sie wird so wohlhabend sein, dass ihr selbst es nicht glauben werdet. Denken Sie immer daran, dass Vorsicht Ihr bester Verbündeter ist, und wenn Sie Geschäfte mit Fremden machen, sollten Sie jeden Vertrag, den Sie unterzeichnen, überprüfen.

Nachdem im Juli die Phase der fetten Kühe für Sie beginnt, werden Sie sich glücklich und erfüllt fühlen mit allem, was Sie in so wenigen Monaten erreichen konnten. Sie werden das Haus haben, das Sie verdienen, und es wird schön sein, Sie können mit Ihrer Familie auf eine Reise gehen und Ihre Kreativität wird wachsen. Dies ist eine Zeit der Anerkennung und des beruflichen Aufstiegs, da Sie ein beschleunigtes Wachstum in Ihrem sozialen Status haben werden. Geschäftsreisen sind möglich, und Sie werden nicht nur angenehme Erfahrungen machen, sondern auch Menschen aus anderen Kulturen treffen, die Ihren Geist bereichern werden.

Denken Sie daran, dass Sie auch nicht gierig sein oder verstehen sollten, dass ein Geschäft für beide Parteien von Vorteil sein muss.

Gesundheit

Im Allgemeinen wird Ihre Gesundheit das ganze Jahr über gut sein. Es wird jedoch einige Variationen in den Monaten geben, in denen Sie viel Arbeit haben. In diesen Perioden wird empfohlen, dass Sie sich entfernen, meditieren und Übungen machen, da dies der Weg ist, Ihre Energien richtig zu kanalisieren.

Ein Intervall oder eine Klammer zu machen und von toxischen Umgebungen wegzukommen und zehnmal zu atmen, ist der Schlüssel, um jede Herausforderung zu überwinden und geistig und emotional gesund zu bleiben.

Dies ist ein Jahr für Sie, um von all den Exzessen von Alkohol oder schädlichen Gewohnheiten wegzukommen. Die Planung, Bewegung in Ihre tägliche Routine zu integrieren und richtig zu essen, ist wichtig für Sie, um gesund zu sein.

Familie

In diesem Jahr wird Ihre Familie entscheidend in Ihrem Leben sein, besonders die Kinder. Sie sind der Schlüssel in eurem Evolutionsprozess. Die Beziehung zu deinen Eltern wird ausgeglichener sein.

Toleranz ist wichtig und das Teilen von Verantwortung sollte etwas sein, das jeder in Ihrem Zuhause versteht.

Lebenslange Freunde werden da sein, um Sie zu unterstützen, aber es werden auch neue Menschen auftauchen, die wichtige Menschen in Ihrem Leben werden. Sie sollten darüber nachdenken, Ihre Verhaltensmuster zu ändern und etwas Spaß zu hinterlassen und sich auf die ernste Seite des Lebens zu konzentrieren. Umgib dich mit Menschen, die Gesprächsthemen haben, die es dir ermöglichen, zu lernen, und die eine spirituelle Grundlage haben. Oberflächlichkeit wird in deinem Leben nicht mehr funktionieren und dir schlimme Konsequenzen bringen, ebenso wie jedes Verhaltensmuster, das zu Fanatismus führt.

Neptun möchte, dass du dich für deine Familie opferst, aber dass jeder an seinem Platz bleibt. Deine Intuition wird stark sein, und du solltest dich von ihr leiten lassen, um jede wichtige Entscheidung zu treffen.

Saturn in Ihrem Familienbereich seit Anfang März, möchte, dass Sie praktischer sind, sich nicht Ihrer Verantwortung entziehen und solide Grundlagen für Ihr Zuhause aufbauen.

Tipps

Das Leben ist immer in ständiger Bewegung und Transformation. Das ist sehr praktisch, und ihr müsst alle Situationen ausnutzen, die in eurem Leben passieren, auch wenn ihr denkt, dass sie schlecht sind, immer verschwört sich das Universum, so dass alles zu eurer Evolution beiträgt.

Vertraue den Menschen, die dir nahestehen, denn sie sind diejenigen, die beobachten werden, wenn du Fehler machst, und sie werden es dich wissen lassen.

Versuche nicht, alles, was dir gehört, anderen Menschen anzuvertrauen, gib nur anderen nicht die Schuld für Dinge, die dir passieren. Ich verstehe, dass du der Hauptakteur deines Lebens bist und daher für alles verantwortlich bist, was darin passiert. Nimm die Konsequenzen deiner Handlungen mit Mut und um diese Situationen des Chaos zu vermeiden, denke zweimal darüber nach, bevor du sie tust. Denken Sie daran, dass es das Gesetz von Ursache und Wirkung gibt.

Sie müssen lernen zu akzeptieren, denn das ist der Schlüssel zu Ihrem mentalen und emotionalen Wohlbefinden. Nicht alles wird immer so sein, wie du willst, und weil du es tust, musst du dich auch nicht zur Hölle verurteilen. Jeder Misserfolg ist die perfekte Gelegenheit, als Mensch Erfahrungen zu sammeln, am Ende ist das dein Ziel auf diesem Planeten.

Lerne zuzuhören, anstatt zuzuhören, oft wirst du egozentrisch und hörst nur auf das, was du sagst, aus diesem Grund hast du die besten Gelegenheiten verpasst.

Steinbock Allgemeines Horoskop
Allgemein

Nach einer langen Zeit, in der dein Leben von Konflikten durchdrungen war, beginnt sich dein Leben an einen Ort der Klarheit zu bewegen. 2023 ist ein Jahr, in dem Sie alles erhalten, was Sie verdienen, nachdem Sie die Niagara mit dem Fahrrad passiert haben, mit den stärksten Planetentransits der letzten Zeit.

Du hattest die Fähigkeit zu zeigen, dass Beharrlichkeit eine der wertvollsten Qualitäten eines Menschen ist, also hat dieses neue Jahr große Verheißungen für dich.

Wie auch immer, Sie sollten Ihre Augen offenhalten und Uranus im Zeichen des Stiers im Auge behalten, der mit seinen unberechenbaren Verhaltensweisen weiterhin Ihren Bereich der Romantik brechen und Ihre Kinder dazu verleiten wird, rebellischer zu sein.

Wenn Uranus bis zum Ende des Jahres die Gesellschaft von Jupiter im Stier empfängt und ihnen dann ein Pluto gegeben wird, werden die drei euch eine finstere Botschaft senden, die euch daran erinnert, dass ihr, wenn ihr die Blockaden, die eure Freiheit einschränken, nicht beseitigt, ein Gefangener destruktiver Verhaltensweisen bleiben werdet, die euch daran hindern, die Person zu sein, die ihr sein sollt.

Der rückläufige Merkur im Steinbock zu Beginn des Jahres erinnert dich daran, dass die Kommunikation klar sein muss und dass, wenn du lügst, er sich darum kümmern wird, dich zu entdecken, und dass du die schlimmsten Momente deines Lebens durchmachst.

Pluto wird einen Blitztransit durch das Zeichen Wassermann in eurem Finanzbereich haben, und jede Angelegenheit, die mit Schulden oder Einkommen zu tun hat, wird sie radikal verändern.

Wenn Saturn am 7. März zum Zeichen der Fische übergeht, werden eure intuitiven Kräfte verschärft, Saturn möchte euch daran erinnern, dass ihr euch von der Blindheit befreien müsst, die ihr in Bezug auf Menschen habt, die eure Umgebung besuchen.

Obwohl du radikale Veränderungen in deinem Leben vorgenommen hast, weil Pluto in deinem Zeichen dich dazu gezwungen hat, möchte er, dass du weiterhin diszipliniert bist und dich mit all diesen Veränderungen wohl fühlst, denn wenn du nicht erkannt hast, hast du viel Macht und Kontrolle über dein eigenes Leben gewonnen.

Pluto beginnt sich Ende März bis Mitte Juni aus Ihrem Zeichen zu bewegen, und da Pluto sich dem Ende nähert, haben Sie vielleicht noch etwas zu tun, und er möchte, dass Sie diesen oder jenen Menschen loswerden, der für Ihr Leben giftig ist.

Merkur beginnt 2023 in Ihrem Zeichen bis Mitte Januar und dann wieder Mitte Dezember rückläufig zu sein. Diese Transite werden innere Konflikte ans Licht bringen, die dich unruhig fühlen lassen, weil du glaubst, dass du nicht die Fähigkeit hast, sie zu lösen. Wenn du nicht geduldig mit dir bist und dich ausruhst, hast du möglicherweise eine mentale Krise, die dazu führen wird, dass du die Gelegenheiten verpasst, die sich auf deinem Weg ergeben können.

Liebe

Dieses Jahr 2023 wird voller wichtiger Entscheidungen sein, die sich auf Ihren Liebesbereich beziehen. Obwohl du viele Veränderungen in dieser Sphäre vorgenommen hast, sind sie immer noch nicht genug, und du wirst ein wenig mehr reifen müssen, damit du mit der Person zusammen sein kannst, die du willst und verdienst.

Wenn du engagiert bist, um Frieden und Harmonie in der Beziehung zu bewahren, musst du deinen Partner respektieren, du darfst deine Bindung zu ihm nicht verlieren, und die Tatsache, dass beide

Verantwortungen haben, gibt dir nicht das Recht zu denken, dass deine oben steht. Die Person neben dir zu kritisieren, wird die Verbindung und Kommunikation zwischen euch nur verschlimmern, du musst lernen, dass wir alle einen anderen Rhythmus haben und zu erkennen, dass dies das Geheimnis einer erfolgreichen Beziehung ist.

Es gibt eine Gruppe von Steinböcken, die sich seit einiger Zeit engagieren und die Entscheidung treffen, zusammen zu leben oder die Beziehung auf eine ernstere Stufe zu bringen, wenn dies so wäre, werden sie es nicht bereuen, da das Schicksal ihnen Glück verspricht.

Singles haben viel Verlangen, mit ihrem abenteuerlichen Geist fortzufahren und das Leben nicht ernst zu nehmen, aber nach Juli werden sie das Gefühl haben, von jemandem begleitet zu werden, der sich um sie kümmert und ihnen die Liebe gibt, die sie brauchen. Jemand anderes wird in ihr Leben kommen, und es kann sogar der Fall sein, dass eine Liebe aus der Vergangenheit zurückkehrt und sie sich wie beim ersten Mal lieben werden.

Wenn Uranus deinen Bereich der Liebe durchquert, ist es möglich, dass derjenige, den du liebst, vollständig transformiert wurde, ebenso wie die Art und Weise, wie du Liebe manifestierst. Einige Monate in diesem Jahr wirst du dich zu seltsamen Menschen hingezogen fühlen und wünschtest, du hättest Beziehungen zu ihnen, die unkonventionell sein werden.

Jupiter Mitte Mai, besuchen Sie Ihren Bereich der Liebe und dieser Transit bringt Ihnen die Möglichkeit, liebevoller zu sein. Wenn Sie Single sind, haben Sie eine äußerst attraktive Aura, die es Ihnen ermöglicht, viele Verehrer anzuziehen, und Amors Pfeil kommt von dem Ort, den Sie am wenigsten erwarten.

Merkur rückläufig in der Sphäre der Romantik lässt Sie leicht die Geduld mit den Menschen verlieren, die Sie lieben.

Mars macht von Ende März bis Mitte Mai einen Spaziergang durch Ihr Liebesgebiet, und in diesem Stadium werden Sie zusätzliche Energie spüren, die es Ihnen ermöglicht, sich auf Ihre engen Beziehungen zu konzentrieren und ihr viel Aufmerksamkeit zu schenken. Da Merkur eine Zutat in diesem Rezept ist, ist es gut, dass Sie Ihren Charakter kontrollieren, sonst werden Sie verärgert und bereit sein, über jeden Unsinn zu streiten.

Venus rückläufig, wenn Mars beschließt, von Mitte Juli bis Anfang September zu gehen, wird auf seine To-Do-Liste kommen, um ernsthafte Probleme in Ihren Beziehungen zu schaffen, die alle mit Sex zusammenhängen. Sie müssen in diesem Stadium eine Distanz schaffen, damit die Dinge nicht schlimmer werden.

Wirtschaft

Es besteht absolut kein Zweifel, dass Sie das am härtesten arbeitende Tierkreiszeichen sind, Ihre Ausdauer und Arbeitsfähigkeit unterscheiden Sie von anderen. Diese Qualitäten werden es euch in diesem Jahr 2023 ermöglichen, jede Situation zu verändern, die euch verzögert.

Sie werden mit den Umständen konfrontiert, um einen beruflichen Konflikt zu lösen, und Ihnen wird die Zusammenarbeit der Menschen, die mit Ihnen zusammenarbeiten oder Teil Ihres Unternehmens sind, nicht fehlen.

Nach Juli beginnt dein goldenes Zeitalter, du wirst, wie König Midas sein, alles, was du berührst, wird sich in Gold verwandeln. Sie diversifizieren Ihre Investitionen, könnten in Immobilien investieren und haben eine ungewöhnliche Fähigkeit, die Zukunft vorherzusagen.

Mars rückläufig bis Mitte Januar, in Ihrem Arbeitsbereich werden Sie Menschen gegenüberstehen, die Ihnen nicht in Ihren Flugzeugen folgen wollen, um voranzukommen, Sie müssen vorsichtig mit Konflikten sein, weil Mars ein Kriegerplanet ist, und manchmal ist es besser zu vermeiden. In diesem Stadium ist auch Ihre Konzentrationsfähigkeit eingeschränkt. Mars wird bis Ende März da sein, und Sie werden die Möglichkeit haben, alles wieder an seinen Platz zu bringen. Sie werden viel Energie haben, um organisiert zu werden, und Sie werden für Ihre Bemühungen belohnt werden.

Pluto beginnt sich auch von Ende März bis Mitte Juni in Ihren Finanzbereich zu bewegen und wird in den nächsten zwei Jahren vollständig in diese Sphäre eintreten. Dies ist eine gute Nachricht, da es bedeutet, dass Pluto Ihr Zeichen verlässt. Plutos rücksichtslose Energie loszuwerden, ist ein Segen. Aber die schlechte Nachricht ist, dass Pluto, der für Ihre Wirtschaft verantwortlich ist, auch unglaubwürdig ist.

Sie müssen vollständig strukturieren, wie Sie Geld manipulieren, was Sie für die wirtschaftliche Stabilität Ihres Lebens benötigen, was Ihrer Meinung nach einen Wert für Sie hat und was Ihnen lieb und teuer ist. Wenn irgendetwas davon nicht so konsistent ist wie ein Stein, wird Pluto dir alles wegnehmen, und es wird danach nicht einfach sein, es wiederherzustellen. Platzieren Sie Ihr Unternehmen nicht in etwas Trivialem oder ohne sich auf das zu konzentrieren, was für Sie nützlich sein könnte.

Zum Glück mit Saturn im Jahr 2023 in Ihrem Wirtschaftsbereich, Sie sind seit ein paar Jahren in diesem Bereich, Sie haben alles erlebt und kultiviert, was Sie in Bezug auf Geld und Ihr Geschäft brauchen. Wenn Sie dies täten, würden Sie Belohnungen erhalten, wenn Saturn geht und Pluto eintritt. Aber wenn Sie es nicht getan haben, beginnen Sie sofort.

Gesundheit

Aufgrund Ihres optimistischen Ansatzes wird Ihre Gesundheit in diesem Jahr 2023 insgesamt besonders gut sein. Ruhe ist besonders wichtig, respektieren Sie Ihre Schlafpläne, und wenn Sie sich von Sorgen befreien und sich ausgeglichener fühlen möchten, üben Sie Sport oder gehen Sie spazieren.

Die schlimmste Herausforderung für Ihre Gesundheit ist nervöse Unruhe aufgrund extremer Arbeitsdynamik.

Der Verzehr natürlicher Vitamine ist wichtig, auch die ganzheitliche Medizin. Pflegen Sie Ihre Knochen und stärken Sie Ihre Muskulatur durch die Einnahme von Magnesium und Kollagen. Eine kathartische Diät ist eine gute Alternative. Eine weitere Regel, die Ihr Wohlbefinden fördern kann, ist, Fisch zu essen und mehr Wasser zu trinken, um Ihren Körper zu entgiften.

Familie

Ein Jahr mit viel Intensität für Ihre Familiengruppe, da Sie sich mehr auf die Arbeit konzentrieren als zu Hause. Sie werden jedoch immer da sein, wenn Sie gebraucht werden, und da Sie bereits gelernt haben, zuzuhören, ohne zu urteilen, werden Ihre Familienbande gestärkt.

Ihr Freundeskreis war schon immer sehr ausgewählt, aber in diesem Jahr 2023 werden Sie daran interessiert sein, neue Beziehungen in Ihr Leben zu integrieren, die Ihnen verschiedene Perspektiven bringen und mit denen Sie lernen können. Sie werden auch einige Leute loslassen wollen, die sich Freunde nannten, da Sie feststellen werden, dass sie nicht so treu waren, wie Sie dachten. Sie werden es mit viel Anstand und ohne Komplikationen tun, aber sobald es erledigt ist, gibt es kein Zurück mehr. Derjenige, der geht, kehrt nicht zurück.

Jupiter besucht Ihr Zuhause bis Mitte Mai, und dies kann Ihnen die Möglichkeit geben, an einen besseren und schöneren Ort zu ziehen, und es wird auch besonders gute Energie in Ihrem Haus geben. Wenn Sie sich nicht bewegen, werden Sie viele Renovierungsarbeiten an Ihrem Haus vornehmen.

Eine Sonnenfinsternis tritt am 20. April in Ihrem Familiengebiet auf, und diese Sonnenfinsternis wird Sie zwingen, eine wichtige Entscheidung zu treffen, die sich auf Ihre Kernfamilie auswirken kann. Sie müssen sehr sicher sein und dürfen keinen blinden Sprung machen, denn diese Entscheidung wird Ihre Zukunft und die Ihrer Familie beeinflussen.

Tipps

Denke darüber nach, wie du dein Leben in den letzten zwei Jahren verändert hast, und denke daran, dass du jetzt eine andere Version bist, eine bessere.

Toleranz ist die Eigenschaft, die Sie in diesem Jahr 2023 zum Triumph führen wird, und deshalb müssen Sie sie vom ersten Tag an üben.

Es wird ein Jahr der Anfänge und des Verständnisses mit Ihrem Partner sein, es ist die perfekte Zeit, um Beziehungen zu festigen, die noch nicht solide sind.

Größere körperliche Bewegung wird Energie erzeugen und Sie neuen Herausforderungen mit Spannung begegnen lassen.

Die Zärtlichkeit, die dich auszeichnet, wenn du mit denen streitest, die du schätzt, wird dein undurchdringliches Herz mit einer Nostalgie füllen, die es zu beseitigen gilt. Dies kann sich in eine unangenehme vorübergehende Traurigkeit verwandeln, die behoben wird, indem man nachgibt, um sich mit denen zu vereinen, die du liebst.

Die Entscheidung, um Unterstützung zu bitten und auf Selbstbezogenheit zu verzichten, wird die Last lockern und Lebensjahre hinzufügen.

Die häufigsten Ärgernisse werden eine Folge der Übertreibung der Arbeit und der übermäßigen Hektik sein. Sie können das Gefühl haben, dass Ihre Gelenke mehr als gewöhnlich schmerzen. Zum Arzt zu gehen ist die perfekte Idee, aber Sie sollten auch Sport treiben. Schwimmen, Radfahren und Yoga sind die besten Alternativen, um mit Stress fertig zu werden.

Allgemeines Horoskop Wassermann

Allgemein

Der Wassermann kam ein Jahr voller neuer Möglichkeiten und der Anwendung all der Lektionen, die Saturn dir beigebracht hat, indem du zwei Jahre lang durch dein Zeichen gegangen bist. Neue Chancen liegen vor Ihnen, und mit Disziplin können Sie sie nutzen.

Saturn am 7. März verlässt dich, aber während dieser ganzen Zeit hast du viel über dich selbst gelernt. Jetzt sind Sie konformer, vernünftiger und methodischer. Sicherlich fühlten Sie sich verschlossen, behindert, konfrontiert und eingeschränkt. Aber seid dankbar, denn dank dessen habt ihr wertvolle Lektionen gelernt, und jetzt könnt ihr ruhig voranschreiten.

Jupiter beginnt das Jahr im Widder, in Ihrem Bereich der Kommunikation, Verträge und Transport. Sie können mehr lokale Reisen unternehmen und neue Handelsabkommen aushandeln. Auch hier findet eine Sonnenfinsternis statt, die Ihren Geist mit transformativen Ideen energetisiert.

Merkur ist im Steinbock seit Dezember in Ihrem Bereich der Intuition rückläufig. Der Botenplanet geht direkt am 18. Januar und öffnet die Türen zu einem besseren Einblick in komplexe Themen und die Ausführung von Projekten, die Sie Ende Dezember begonnen haben.

Uranus schwenkt die Fahnen in Ihrem Familienhaus, unerwartete Enthüllungen erscheinen und Änderungen im Verhalten der Menschen, die Ihren Haushalt bilden. Der Planet des Chaos durchquert direkt am

22. Januar und stellt die Stabilität in den Familienbeziehungen wieder her.

Neptun in Fische bewegt sich weiterhin durch Ihr Geldhaus, schenkt Ihnen Ideen, wie Sie sich verbessern können, und untersucht gleichzeitig, wie Sie Ihre Ausgaben verwalten.

Der Transit von Pluto im Steinbock wird in Ihrem Zuhause des Unterbewusstseins und der Träume stattfinden und Ihnen die Möglichkeit geben, sich von gesundheitlichen Beschwerden zu erholen, sich um kranke Menschen zu kümmern und Ihre Träume für die Zukunft zu nähren.

Pluto beginnt vom 23. März bis zum 11. Juni mit dem Transit Ihres Zeichens. Pluto ist der Planet der Transformation, und das bedeutet, dass die Zeit gekommen ist, euch in jeder Hinsicht zu transformieren. Massive Transformationen werden in dein Leben kommen, keine Panik, denn diese Transformationen werden dir helfen, dich selbst zu stärken. Pluto regiert auch Macht und Kontrolle, so dass Pluto in Ihrem Zeichen Ihnen helfen kann, mehr persönliche Macht zu erlangen. Du wirst energischer sein, und deine Persönlichkeit kann viel dogmatischer sein.

Liebe

2023 ist auf sentimentaler Ebene ziemlich aktiv. Deine Geduld und dein Wunsch nach Freiheit werden aufeinanderprallen, und dies wird den Verlauf deines Lebens bestimmen.

Für Wassermann, der einen Partner hat, nähert sich eine Phase, in der es am wichtigsten ist, die Bedeutung Ihrer Beziehung zu definieren. Es ist möglich, dass Sie sich bei so vielen Verantwortlichkeiten überfordert und gelangweilt fühlen und dass Sie jeden Rat, den Ihr Partner Ihnen gibt, falsch interpretieren. Es ist wichtig, dass Sie Momente allein planen, damit Sie eine Pause einlegen können. Wenn die Beziehung gefestigt ist, wird alles wieder so sein, wie es vorher war, und der Frieden wird zurückkehren.

Wer nicht in einem Paar ist, wird es auch 2023 nicht wollen. Einzelne Wassermänner werden sich dafür entscheiden, den Moment zu genießen und Nächte mit verschiedenen Menschen zu verbringen. Die Verantwortung, die mit dem Beginn und der Aufrechterhaltung einer Beziehung in diesen Zeiten einhergeht, in denen Ihr Berufsleben so beschäftigt ist, erfordert viel Energie. Im Dezember wird eine Person erscheinen, die dein Herz stiehlt.

Mars rückläufig Anfang 2023, in Ihrem Bereich der Liebe, kann Probleme in Ihren Liebesbeziehungen aufwerfen, und Sie können immer mit Ihren Lieben kämpfen, da sie Missverständnisse mit Ihnen haben werden.

Venus verlässt den Krieger und geht Ende Juli bis Anfang September in Ihrem Beziehungssektor zurück, und dieser Transit kreuzt sich von Mitte Juli bis Ende August mit dem Mars in Ihrem Sexsektor. Dies kann zu Konflikten in engen Beziehungen führen, mit dramatischen Ereignissen.

Quecksilber geht Ende August bis Mitte September in Ihrem Sektor der Intimität zurück, und dies kann Probleme aus dem Schrank nehmen, Sie müssen möglicherweise tiefer in das Vertrauen zu Ihrem Partner mit all diesen retrograden Vibrationen gehen, die Ihre Beziehung beeinflussen. 2023 wird voller Verbindungen mit Menschen aus Ihrer Vergangenheit sein. Retrograde aktivieren die Verbindung mit deinem Seelenverwandten.

Wirtschaft

Ihr Talent wird erkannt, Sie haben Möglichkeiten, Ihr Geschäft zu erweitern und Ihre Lebensqualität und Finanzen zu verbessern.

Einige Wassermänner werden in das Dilemma geraten, weil sie nicht wissen, ob sie einen Beruf der Unterordnung ausüben oder unabhängig arbeiten und riskieren, ihre eigenen Chefs zu sein. Unabhängig von der Entscheidung, die Sie treffen, denken Sie daran, vernünftig und formell zu handeln. Wichtig ist, dass du das unternimmst, was dir ein gutes Gefühl gibt, denn am Ende, was auch immer es ist, wirst du Erfolg haben.

In Bezug auf Geld, nach Juli werden die Gewinne ankommen und Sie werden ermutigt, einen Teil davon zu investieren, um mehr Projekte zu machen, und Sie können auch Ihr Haus umgestalten, um sich wohler zu fühlen.

Es wird dringend empfohlen, dass Sie das Gleichgewicht zwischen Genießen und Ausgaben finden, denn wenn Sie alle neuen Unternehmen machen wollen, die Sie im Kopf haben, müssen Sie wirtschaftliche Reserven haben.

Neptun wird das ganze Jahr 2023 in Ihrem Wirtschaftsraum bleiben, und mit diesem ewigen Transit wird es für Sie aufgrund der nebulösen Schwingung von Neptun schwierig sein, Ihre Finanzen zu kontrollieren.

Saturn öffnet Ihnen die Augen für die Realität, wenn sie Anfang März auf Ihr Bankkonto übergeht. Sie müssen lernen, wie Sie Ihre Ressourcen richtig verwalten, Sie werden das Gefühl haben, dass Sie manchmal nicht genug Geld haben, aber das ist ein Eindruck und nicht die Realität, da Saturn möchte, dass Sie vernünftiger und akribischer sind.

Der Mars durchquert Ihren Arbeitsbereich von Ende März bis Mitte Mai, und das wird Sie lukrativer machen. Sie können Ihre Zeit verteilen, je mehr Sie arbeiten, desto mehr wollen Sie produzieren.

Eine Mondfinsternis in Ihrem Berufssektor am 5. Mai wird Sie dazu bringen, sich zu ändern oder nach einem neuen Beruf zu suchen. Aber wenn Sie mit dem, was Sie tun, zufrieden sind, können Sie Erfolg haben.

Mars mit seiner Energie und Begeisterung wird Sie ehrgeizig machen, und Sie können die Initiative ergreifen, um kurzfristig neue Unternehmen zu gründen.

Gesundheit

Die angesammelten Energien zu kanalisieren ist für euch in diesem Jahr Pflicht. Bei so vielen Zielen und Arbeiten sollten Sie nicht vergessen, rauszugehen und Spaß zu haben, Sport zu treiben und nach einem Hobby zu suchen, mit dem Sie angesammelte Ängste loslassen können. Spirituelle Praktiken werden auch von Vorteil sein

Halten Sie sich von Junk-Food, Alkohol und jeglicher Art von Missbrauch in Ihren Ruhephasen fern. Schlaf ist die Nahrung des Gehirns.

Unausgeglichene Stimmungen können Probleme mit Haut, Hals und Verdauungssystem verursachen.

Ein Termin mit dem Augenarzt kann angebracht sein, da die Kopfschmerzen, die Sie haben werden, in einer visuellen Einschränkung wurzeln können.

Familie

Sie sind keine sehr überschwängliche Person in Ihren Beziehungen, und das bedeutet nicht, dass Sie Ihre Familienmitglieder nicht für wichtig halten. Es wird nicht empfohlen, dass Sie sich von Ihrer Familie unter Druck setzen lassen und in Konflikte verwickelt werden. Wenn Sie versuchen, Probleme zu lösen, die Ihnen nicht gehören, müssen Sie mit Depressionen kämpfen, weil Sie überfordert sein werden.

Uranus in Ihrem ganzjährigen Familiengebiet, wo es seit ein paar Jahren ist, wird weiterhin chaotische Veränderungen in Ihrem Zuhause hervorrufen. Es besteht die Möglichkeit, dass Sie mehrmals im Jahr umziehen und Ihre Familie wichtige Reformen durchläuft. All diese Veränderungen werden unerwartet sein und dich emotional beeinflussen, also musst du flexibel sein.

Jupiter lässt sich Mitte Mai in Ihrem Familienbereich nieder, und dies bringt mehr bewegende Energien an einen neuen Ort, und Sie können viel mehr Zeit mit Ihrer Familie genießen.

Quecksilber rückläufig in Ihrem Haus, bevor Jupiter von Mitte April bis Mitte Mai geht, wird Ihre Augen für Probleme im Haus öffnen, die gelöst werden müssen. Dies werden Probleme aus der Vergangenheit sein, die jetzt viel größer werden, und ihr müsst sie lösen, damit ihr Uranus mit größerer Energie begegnen könnt.

Eine Mondfinsternis findet am 28. Oktober in Ihrem Familiengebiet statt, und Sie werden mehr in Ihr Familienleben einbezogen. Wenn es immer noch Probleme gibt, dann werden Sie sich verärgert fühlen. Sie müssen ein anständiges Ventil haben, um diese Frustrationen zu kanalisieren.

Tipps

Sie müssen in diesem Jahr 2023 immer Ihrer Intuition folgen.

Sie müssen alte Paarschwierigkeiten untersuchen, die Sie nicht vorankommen lassen. Damit das Leben weitergehen kann und du innerlich gedeihst, wirst du viele Entscheidungen treffen müssen.

Sie sollten jede Vereinbarung analysieren, bevor Sie sie unterzeichnen, um Streitigkeiten zu vermeiden, die bei wichtigen Geschäften üblich sind.

Sie haben viele Möglichkeiten, Ihre Finanzen und Ihre Lebensweise zu erweitern. Wenn Sie diese glückliche Dusche nutzen möchten, denken Sie klug nach und betrachten Sie die positive Seite. Sie müssen organisiert und vorsichtig sein, wenn Sie Ihre Zukunft planen. Ignoriere die Kriterien anderer, da sie dich verwickeln können.

Fische Allgemeines Horoskop

Allgemein

Profitable und lukrative Energien werden die Fische durch das Jahr 2023 begleiten. Es ist an der Zeit, anzugeben und der Welt zu zeigen, dass du Potenzial hast und dass du, obwohl du manchmal zögerst, ankommst. Effektive Kräfte manipulieren hinter den Kulissen Pläne, um euch auf eine privilegierte Ebene zu heben. Sie erhalten eine Beförderung bei der Arbeit mit einer Autoritätsrolle. Ihre Investitionen werden schnell wachsen.

In diesem Jahr 2023 werdet ihr zwei Planeten in eurem Zeichen haben. Saturn fordert die Sphäre des Rückzugs und der Einsamkeit im Zeichen des Wassermanns heraus, bis er am 7. März wieder Ihr Zeichen durchquert, während Uranus eine wohltuende Verbindung mit Ihrer Sonne herstellt, während er das ganze Jahr über im Stier ist.

Pluto nähert sich dem Ende seines Transits durch Steinbock, und Mars in Gemini ist der erste Planet, der 2023 direkt in Ihrem Heimatgebiet am 12. Januar durchquert und überprüft, ob alle familienbezogenen Projekte erfüllt wurden.

Merkur im Steinbock passiert direkt am 18. Januar in Ihrem Freundschaftsgebiet und gibt Ihnen den Impuls, Entscheidungen in Bezug auf die Gruppen, zu denen Sie sich zugehörig fühlen, und Ihre beruflichen Ziele zu treffen.

Pluto im Steinbock bis zum 23. März verändert weiterhin die Beziehungen, die Sie mit Ihren Freunden haben, und wenn Sie zum Wassermann ziehen, werden viele Ihrer Freundschaften nicht mehr sein.

Uranus im Stier, der durch eure Kommunikationssphäre durchquert, durchquert direkt am 22. Januar, macht den Weg für Kommunikationsverbesserungen frei und aktiviert all jene Verträge, die nicht unterzeichnet wurden.

Saturn auf dem Weg durch den Wassermann verabschiedet sich nach zweieinhalb Jahren in Ihrem unterbewussten Haus, wo er titanische Reinigungen durchführte und kooperierte, damit Sie von einer Krankheit gesund sind. Am 7. März geht der Planet des Karmas zu eurem Zeichen über und in dieser Zeit wird er verpflichtet sein, euer Leben in allen Bereichen zu bewerten, aber das Wichtigste ist, dass ihr eure Individualität erneuern müsst.

Der Planet der Einschränkungen stolpert über Neptun in Ihrem Zeichen, und dies bietet Ihnen die Möglichkeit, verwirrende Erscheinungen unverständlicher Umstände und Beziehungen zu analysieren, die Ihr Leben stören. Mit Neptun haben Sie weiterhin eine sehr erhabene Intuition, also sollten Sie immer auf sie hören, da sie Sie in schwierigen Momenten führen wird.

Ihr seid sensibler und toleranter geworden, und all dies hat euch die Möglichkeit gegeben, anderen zu dienen oder ihnen zu helfen. Vielleicht haben Sie auch hart dafür gekämpft, Ihre eigene Individualität von anderen getrennt zu halten.

Saturn in Ihrem Zeichen ist sprichwörtlich eine Zeit des Unterrichts in allen Bereichen des Lebens, aber speziell mit sich selbst. Sie werden Ihre äußere Identität in Frage stellen. Sei vorbereitet, denn du hast viele Verpflichtungen gegenüber Saturn in deinem Zeichen, und du wirst härter arbeiten müssen, um realistisch zu sein.

Liebe

Liebe wird in deinem Leben wachsen, aber denke daran, dass Selbstliebe auch das Wichtigste ist.

Wenn Sie engagiert sind und Ihre Beziehung sehr fest und solide ist, verspricht Ihnen dieses Jahr 2023 eine große Erfüllung und Fülle im Paar. Dies bedeutet nicht, dass alles fehlerfrei sein wird, sondern dass jede übliche Schwierigkeit gelöst wird.

Haben Sie keine Angst auszudrücken, wie Sie sich fühlen und lernen Sie, nein zu sagen, wenn nötig, eine gesunde Grenze zu markieren ist der Schlüssel, um Sie wissen zu lassen, dass Ihre Beziehung auf dem richtigen Weg ist.

In diesem Jahr ist es plausibler, wenn Sie Single sind, dass Sie die wahre Liebe finden, aber trotzdem wird es eine Weile dauern, da Sie bei der Auswahl des Besitzers Ihres Herzens sehr umsichtig sein werden. Befreien Sie sich zuerst von unbewussten Bindungen an die Vergangenheit, damit Sie die neue Beziehung nicht berauschen.

Mars durchquert eure Liebessphäre von Ende März bis Mitte Mai, und dank dieser Energien werdet ihr viel zärtlicher und liebevoller sein. Wenn Sie Single sind, werden Sie es genießen, sich zu verabreden, und wenn Sie in einer Beziehung sind, können Sie es genießen, mehr Leidenschaft in Ihr Leben zu bringen. Dies wird Ihnen mit dem Asteroiden Ceres retrograde gegeben, was auf die Rückkehr einer Liebe aus der Vergangenheit hinweist.

Mars durchquert Ihr Beziehungsgebiet von Mitte Juli bis Ende August, und Sie werden sich sehr wohl fühlen, Verbindungen zu anderen herzustellen.

Merkur geht Ende August bis Mitte September in eurer Beziehungssphäre zurück, ihr findet einen Konflikt mit jemandem, der euch nahesteht, und ihr werdet eine völlige Trennung spüren. Der Mars von Ende August bis Mitte Oktober bringt Ihre Intimität durcheinander, begleitet von Merkur, der zunächst rückläufig ist, und die meisten Konflikte, die Sie in Ihren Beziehungen haben werden, werden entstehen, weil Sie in ihrer Nähe sein wollen, aber sie tun es nicht.

Eine Sonnenfinsternis beleuchtet Ihren enthusiastischen Bereich am 14. Oktober, und dies kann Ihnen Ströme von Energie für Intimität geben, wenn Sie Single sind, werden Sie Sex-Marathons haben, und wenn Sie in einem Paar sind, werden Sie Funken im Stil von Christian Gray oder 365 ins Bett werfen. (Wenn Sie die Person nicht kennen, denken Sie daran, geschützten Sex zu haben.)

Wirtschaft

Ihr habt euch seit einiger Zeit auf diesen Moment vorbereitet und studiert, er ist endlich da. In diesem Jahr werden all diese Bemühungen Früchte tragen, ihr werdet endlich erkennen, dass all diese schlaflosen Nächte nicht umsonst waren. Dies geschieht in Form von Geld für Ihr Bankkonto, Werbeaktionen oder Unternehmen, die im großen Stil gedeihen.

Vorsichtsmaßnahmen schaden jedenfalls nie.

Sie sollten jeden Vertrag mit vier Brillen lesen, da viele neidische Menschen Ihr Glück stehlen wollen. Sie werden eine Menge Geld generieren, und es können Leute erscheinen, die Ihre Freundlichkeit ausnutzen möchten.

Jupiter ist in Ihrem Geldgebiet, das ist ein Segen, um 2023 zu beginnen, es wird bis Mitte Mai dort sein und Ihnen viele finanzielle Möglichkeiten geben. Sie werden auf neue Weise Geld verdienen und viele Ideen generieren, die Sie finanziell belohnen.

Eine Sonnenfinsternis in Ihrem Wirtschaftssektor am 20. April bringt Ihnen eine Gelegenheit für ein Geschäft, das Sie nutzen müssen, oder Sie können plötzliche Ergebnisse von einem Unternehmen sehen, das Sie letztes Jahr gegründet haben.

Mars sitzt von Mitte Mai bis Mitte Juli in Ihrem Arbeitsbereich, und Sie werden härter arbeiten wollen. Sie können sich selbst organisieren, Ihre Routine, Ihre Zeitpläne anpassen und auf diese Weise Ihre Produktivität steigern. Umfangreichere Projekte können eine Herausforderung sein, aber wenn Sie sie in Teile zerlegen, können Sie sie bequem verwalten.

Venus rückläufig von Mitte Juli bis Anfang September kann Sie ein wenig vage machen und den Fokus stehlen, also sollten Sie die vorherigen

Energien des Mars nutzen. Venus retrograde liebt es, unsere Energie und Motivation zu stehlen.

Merkur geht in der letzten Dezemberwoche in Ihrem Berufsbereich zurück und hindert Sie daran, das Jahr mit einem Hindernis bei der Arbeit abzuschließen. Wenn Sie etwas versprochen haben, versuchen Sie, um mehr Zeit zu bitten, um es zu beenden, das Wichtigste ist, nicht schlecht auszusehen. Wenn Sie versuchen können, Ruhezeiten festzulegen, weil diese Energie sehr nervig ist.

Gesundheit

Die positive Energie, die deine Aura haben wird, wird dich schützen, und dies wird sehr günstig sein, so dass du im Jahr 2023 an keiner Krankheit leidest. In einigen Monaten des Jahres werden Sie sich jedoch sehr müde oder angespannt fühlen, Produkt so vieler Verpflichtungen und Verantwortlichkeiten.

Sie sollten übervorsichtig mit Ihrer Körperhaltung sein. Die Wirbelsäule wird ein zerbrechlicher Punkt sein, und es wird für Sie von Vorteil sein, die Prüfungen abzulegen, die Sie verschoben haben. Diejenigen, die Komplikationen in den Extremitäten haben, müssen nach einem Spezialisten suchen. Außerdem sollten Sie den Kalziumspiegel in Ihren Knochen analysieren, insbesondere Frauen im Klimakteriums Stadium.

Sehen Sie keine Geister, wo es keine gibt, ruhen Sie sich nach Bedarf aus und üben Sie Übungen, um Ihr Wohlbefinden zu erhalten.

Familie

Du bist ein zu liebevolles Zeichen, und deine Familie profitiert immer von deiner Liebe und Unterstützung. Wegen so viel Arbeit kann dieses Jahr anders sein und sie müssen verstehen, sie müssen Ihnen helfen. Wie auch immer, alle Ihre Einnahmen werden immer mit Ihrer Familie geteilt.

Freunde können Ihre Zuflucht sein, und sie können Ihnen auch bei Ihren Projekten helfen. Du musst lernen zu empfangen, da du immer mehr gibst, als du empfängst.

Mars beginnt 2023 retrograd in Ihrer Heimatregion Mitte Januar, Mars rückläufig in diesem Sektor kann Ihnen Probleme mit Ihrer Familie bringen, und aufgrund von Frustration werden Sie leicht irritiert werden. Ihre Emotionen können außergewöhnlich stark sein, so dass Sie sehr leicht motiviert sein werden, in Konflikte zu geraten.

Es ist wahrscheinlich, dass Ihre Verwandten auch dasselbe fühlen und schlechte Laune haben, eine Dummheit kann sich in einem Moment in einen Hurrikan verwandeln, und Sie können die Kontrolle über die Situation verlieren.

Bitten Sie das Universum, Ihnen etwas mehr Geduld zu geben, damit Sie Ihre Zunge halten können, bevor Sie sprechen, denken können, was Sie sagen werden, und nicht zu ungreifbar über die Umstände sind.

Mars bleibt in diesem Gebiet, nachdem seine rückläufige Bewegung bis Ende März endet, und dies wird Ihnen die Möglichkeit geben, zu heilen und zu optimalen Beziehungen zu Ihrer Familie zurückzukehren.

Tipps

Denke daran, dass dir nichts gegeben wurde, was dir gegeben wurde, also schäme dich nicht, das zu genießen, was dir gehört.

Sie sollten immer dankbar sein und schätzen, was Sie haben, aber Sie sollten Angst und mentale Blockaden aus Ihrem Leben entfernen, damit Sie dieses wunderbare Jahr 2023 voll auskosten können.

Mit einem intelligenten Ansatz ist dies ein gutes Jahr, um ein Unternehmen oder einen anderen Plan zu gründen oder zu erweitern. Sie werden sich über Ihren Zweck im Klaren sein, wenn ein Problem auftritt, wird es für Sie ziemlich einfach sein, eine praktische Lösung zu finden.

Sie werden bereit sein, Kompromisse einzugehen und Rücksichtnahme, Dankbarkeit und Triumph zu gewinnen.

Es gibt Immobilientransaktionen im Jahr 2023, stellen Sie nur sicher, dass Sie nicht verzweifeln, denn Ihre Gelegenheit wird zur richtigen Zeit sein.

Neid. Zeichen und wie man sie bekämpft.

Neid ist eine Emotion, die traditionell als negativ beschrieben wurde, aufgrund des Unbehagens, das sie verursacht, zusammen mit der Beziehung der Feindseligkeit, die sie gegenüber anderen Menschen impliziert. Neid blüht um das Alter von 3 Jahren, in unseren ersten Beziehungen mit Freunden und Familie.

Wir können Neid auf das Spielzeug eines anderen Kindes, der Lieblingsschwester, sogar auf die Fürsorge zitieren, die Papa von Mama erhält und die wir nicht erhalten. In diesen Beispielen ist Neid nicht böswillig, es zeigt nur, dass wir dieses Spielzeug wollen, dass wir gerne bekommen würden, was meine Schwester bekommt, und dass ich wünschte, Mama würde mich mehr Pflege geben, und das ist im Wesentlichen nicht schlecht.

Wir haben das Potenzial zu entscheiden, was wir mit unserem Neid anfangen, ob wir versuchen, das zu ratifizieren, was wir wollen, oder kämpfen, damit der andere es nicht besitzt. Die richtige Information und Aufklärung von Kindheit an über Neid und seine schmerzhaften Ergebnisse ist ein vorteilhafter Weg, um ihn zu bekämpfen.

Verschiedene Studien haben bestätigt, dass, wenn das Gefühl des Neids entsteht, mehrere Bereiche, die an der Wahrnehmung von körperlichem Schmerz beteiligt sind, auf der Gehirnebene aktiviert werden, und diese verschiedenen persönlichen Qualitäten neigen zu einem größeren Gefühl des Neids, aber auch soziale und kulturelle Faktoren machen das Profil einer neidischen Person aus.

Es gibt viele Arten von Neid, aber Minderwertigkeitsgefühle sind der Eckpfeiler von allen. Wir können neidisch auf unzählige Eigenschaften anderer Menschen sein: ihr Talent, ihre Jugend, ihren Ruhm, ihre Schönheit, ihren Besitz und ihre Tugenden. Wenn wir neidisch sind, versuchen wir uns davon zu überzeugen, dass es nicht so sehr das ist, was die Neider haben, das heißt, wir versuchen, ihre Leistungen oder ihre Erfolge zu unterschätzen.

Es ist wichtig zu wissen, wenn uns jemand beneidet, denn die wichtigste Lehre des Neids ist, dass die Neider ängstlich sind. Etwas ganz Übliches ist, dass die Neider immer schlechte Ratschläge geben, da sie nicht wollen, dass Sie Ihrer Liste der Errungenschaften noch mehr hinzufügen, Ihre Versuche absichtlich sabotieren, indem Sie Ihnen schlechte Ratschläge geben oder Sie einfach davon abhalten, es zu versuchen, denn was sie im Leben wollen, ist, dass Sie scheitern. Falsches Lob ist in den Mündern der Neider reichlich vorhanden, sie jagen dich mit falschen Komplimenten, denn eine Sache, die die Neider wollen, ist, andere wissen zu lassen, dass sie dich tatsächlich nicht beneiden. Die Minimierung Ihrer Leistungen ist die häufigste Sache über eine neidische Person, denn die größte Sorge neidischer Menschen ist, wenn das Objekt ihrer Eifersucht weiterhin Ihr Erfolg ist.

Mit Ihren Erfolgen zu prahlen, steht auf der Liste der Fähigkeiten eines Neiders. Während du deine Leistungen in Stille genießt, versucht eine neidische Person, sich besser zu fühlen, indem sie an ihrem Lob erstickt, indem sie ihre eigenen kleinen Errungenschaften überbetont, obwohl sie im Vergleich zu deinen verblassen. Sarkastische Kommentare sind eine der häufigsten Manifestationen von Neid.

Sarkasmus ist definiert als eine Art von Spott, bei dem gesagt wird, dass eine Sache das Gegenteil impliziert, oder auf jeden Fall etwas anderes. Es handelt sich um bidirektionale Nachrichten. Die Worte sagen etwas, aber die Bedeutung dieser ist eine andere. Die häufigste Form des Sarkasmus kombiniert eine aggressive Botschaft mit einer freundlichen.

Eine neidische Person wird dich vor anderen demütigen, sie nutzt jede Gelegenheit, um deine Erfolge zu minimieren.

Erstens zementieren sie ihre Position als überlegene Person und zweitens verringern sie Ihre Glaubwürdigkeit, indem sie dies vor anderen tun.

Einmal etabliert, ist es nicht leicht, beneiden zu können, obwohl es sich immer lohnen wird, den Schaden zu vermeiden, den es verursacht. Ein solcher Versuch sollte zuerst das Gefühl des Neids selbst erkennen und es von der Art und Weise trennen, wie wir uns verhalten, wenn wir es haben. Wir können zum Beispiel vermeiden, schlecht über den Neider zu sprechen oder ihm irgendeinen Schaden zuzufügen, wie Dinge zu leugnen, ihn auszugrenzen, ihn zu diffamieren, ihn zu beleidigen oder ihn psychisch oder physisch zu misshandeln.

Wir können immer Feindseligkeit gegenüber dem Neiden vermeiden. Wir müssen versuchen, über den Neider und seine Erfolge positiv nachzudenken. Was er hat, hat er sich mit Mühe und Hingabe verdient und ohne den Wunsch, uns zu schaden. Wir tun es normalerweise nicht, weil wir fast nie darüber nachdenken, was wir verabscheuen, und der Neidete wird immer zu einem verabscheuungswürdigen Wesen, obwohl wir es nie explizit ausdrücken können. Daher liegt der Schlüssel zur Vermeidung oder Verringerung von Neid darin, diese Ablehnung vermeiden zu können.

Wettbewerbsenergien werden immer besser genutzt, wenn wir sie nutzen, um mit uns selbst zu konkurrieren und uns selbst zu übertreffen, als wenn wir sie dem Versuch widmen, diejenigen zu verunglimpfen, die wir beneiden.

Wir müssen Neid als natürliche Emotion akzeptieren, seine negative Bedeutung entfernen, erkennen, dass einige Menschen oder Situationen Neid hervorrufen, die negativen Gefühle und Verhaltensweisen dominieren, die durch Neid verursacht werden, uns selbst besser kennen und unsere Unzulänglichkeiten akzeptieren, versuchen, alles zu genießen, was wir mit unserer Individualität tun können, übermäßige Vergleiche in *der Kindheit vermeiden, eine Erziehung fördern, die Solidarität fördert, Das heißt, es stimuliert die Freude am Wohl anderer, versucht, ein hohes Selbstwertgefühl zu erreichen und für alles dankbar zu sein.*

Was beneiden sie dich nach deinem Sternzeichen?

Neid ist eine lästige Emotion für den, der es bekennt, und für diejenigen, die beneidet werden. Neidische Menschen denken immer, dass der andere besser ist, ohne die Umstände anderer zu analysieren, was in vielen Fällen unerwünscht sein kann, aber sie sehen nur das Objekt ihrer Begierde. Sie können alles beneiden, von den häufigsten, wie Geld, Intelligenz, künstlerische Fähigkeiten, die Art und Weise, wie Sie kommunizieren, die Fähigkeit, Freundschaften zu schließen, bis hin zu einem Beruf, der Anzahl der Anhänger in sozialen Netzwerken oder einem Haarschnitt.

Wir alle haben immer etwas zu beneiden, und im Allgemeinen kann Ihnen die Astrologie, die auf Aspekten Ihrer Persönlichkeit basiert, helfen.

*Menschen des Zeichens **Widder** werden sie beneiden, weil sie wagemutige, willensstarke und großmütige Menschen sind. Sie beneiden sie wegen des Vertrauens, das sie in sich selbst haben, weil sie sich nicht dafür interessieren, was über ihre Handlungen gesagt wird. Seine außergewöhnliche Fähigkeit, sich neuen Herausforderungen erfolgreich zu stellen, erstaunt viele.*

***Stier** hat einen Sinn für Solidarität und immense Verantwortung, sein affektives Herz erzeugt den Neid der Menschen um ihn herum. Sie geben Sicherheit und können zum besten Begleiter werden; Viele möchten diese Fähigkeit haben, die absolute Freundschaft anderer zu gewinnen.*

***Zwillinge,** sein Selbstvertrauen, Kreativität, verträumte Natur, Fähigkeit, sich an neue Veränderungen anzupassen, verursacht Neid. Er* hat viel Elan und kann sich jeder Situation anpassen, daher gibt es diejenigen, die ihn darum beneiden. Nicht jeder ist so nett und hat so viel Sprachfähigkeit.

Krebs ist euphorisch, gesellig, offen und ehrlich. Andere betrachten seine Tugenden als Mittel, um zu glänzen und beneiden seine Fähigkeit, ihre Träume zu erfüllen. Sie können das, was sie anstreben, auf aufschlussreiche und raffinierte Weise erreichen, ohne andere zu stören. Und diese Stärken sind für die anderen Zeichen nicht so einfach.

Leo hat ein energisches, definiertes und professionelles Verhalten, so dass sie normalerweise den Neid anderer auf sich ziehen, für ihre Sicherheit und Begeisterung. Sie neigen dazu, die Seele der Feierlichkeiten zu sein. Sie sind in allen sozialen Kreisen äußerst beliebt und können die besten Treffen planen.

Jungfrau, hält eine natürliche Zärtlichkeit für Subtilität und Manifestation, sind reflektierend und lieben normalerweise Wissen. Die Menschen beneiden dieses Zeichen um seine Bescheidenheit und Analysefähigkeit.

Waage wird durch ein ruhiges Temperament identifiziert und konzentriert. Die Eigenschaft, die den Neid anderer auslöst, ist ihre Fähigkeit, ihre Emotionen und Entscheidungen zu harmonisieren. Sie beneiden ihn, weil er verführerisch ist, die Menschen durch seine Höflichkeit, sein Verständnis und seine Zartheit anzieht.

Skorpion, lebt mit großer Inbrunst. Das perfekte Accessoire zu seiner Identität ist der Pinselstrich des Rätsels, der seine Seele umhüllt. Die Menschen beneiden dieses Zeichen um seinen gesunden Menschenverstand.

Schütze hat eine intensive Energie und eine Intelligenz, die sich auszeichnet. Die Eigenschaften, um die andere sie energisch beneiden, sind ihr großer Optimismus und ihre gute Stimmung. Darüber hinaus suchen sie immer nach der Möglichkeit, zu lachen und das Leben zu genießen.

Steinbock, sie sind autark, zeigen ihre Gefühle nicht leicht und besitzen einen Tunnelblick. Die Menschen beneiden dieses Zeichen um sein rationales Talent und seine Hartnäckigkeit, um ihre Ziele zu erreichen. Es ist elegant und geschmackvoll.

Wassermann hat eine unbestreitbare Fähigkeit, sich an bestimmte Umstände zu erinnern, sie sind liebevoll, ehrlich und großartig. Sie sind neugierig und sehr kreativ, immer bereit, neue Dinge auszuprobieren. Aus diesen Gründen gibt es diejenigen, die sich davon überschattet fühlen.

Fische haben einen enthusiastischen, sensiblen Charakter und lassen sich meist von anderen mitreißen. Sie beneiden sie um ihre Fähigkeit, sich aufgeregt mit anderen zu verbinden. Sie sind ebenso faszinierende wie autonome Menschen. Sie verheddern sich nicht und erwerben eine objektive und unterhaltsame Art, das Leben zu sehen.

Denken Sie daran, dass Neid das Leben verkürzt, weil es eine Emotion ist, die Sie erschöpft und Sie daran hindert, die Gegenwart zu genießen. Du bist so darauf fokussiert, das zu begehren, was andere besitzen, und ihnen Böses zu wünschen, dass die Momente deines Lebens schnell entkommen, ohne dass du sie bemerkst oder genießt.

Die Tarotkarten, eine rätselhafte und psychologische Welt.

Das Wort Tarot bedeutet
"Königsstraße", es ist eine alte Praxis, es ist nicht genau bekannt, wer
Kartenspiele im Allgemeinen oder das Tarot im Besonderen erfunden
hat; Es gibt die unterschiedlichsten Hypothesen in dieser Hinsicht. Einige
sagen, dass es in Atlantis oder Ägypten entstand, aber andere glauben,
dass Tarots aus China oder Indien kamen, aus dem alten Land der
Roma, oder dass sie durch die Katharer nach Europa kamen. Tatsache
ist, dass Tarotkarten astrologische, alchemistische, esoterische und
religiöse Symboliken ausstrahlen, sowohl christliche als auch heidnische.
Bis vor kurzem war es üblich, sich eine Roma-Person vorzustellen, die vor
einer Kristallkugel in einem von Mystik umgebenen Raum sitzt, oder an
schwarze Magie oder Hexerei zu denken, heute hat sich das geändert.

Diese alte Technik hat sich an die neuen Zeiten angepasst, hat sich
der Technologie angeschlossen und viele junge Menschen fühlen ein tiefes
Interesse daran. Die Jugendlichen haben sich von der Religion isoliert,
weil sie denken, dass sie dort nicht die Lösung für das finden werden,
was sie brauchen, sie haben die Dualität dessen erkannt, etwas, das mit
Spiritualität nicht geschieht. In sozialen Netzwerken finden Sie Konten,
die dem Studium und den Lesungen des Tarots gewidmet sind, da alles,
was mit Esoterik zu tun hat, in Mode ist, in der Tat werden einige

hierarchische Entscheidungen unter Berücksichtigung des Tarots oder der Astrologie getroffen.

Das Bemerkenswerte ist, dass die Vorhersagen, die normalerweise mit dem Tarot zusammenhängen, nicht die begehrtesten sind, was mit Selbsterkenntnis und spirituellem Rat zusammenhängt, ist am gefragtesten. Das Tarot ist ein Orakel, durch seine Zeichnungen und Farben stimulieren wir unsere psychische Sphäre, den reconditesten Teil, der über das Natürliche hinausgeht. Mehrere Menschen wenden sich dem Tarot als spirituellem oder psychologischem Führer zu, da wir in Zeiten der Unsicherheit leben, und dies drängt uns, in der Spiritualität nach Antworten zu suchen. Es ist ein so mächtiges Werkzeug, dass es dir konkret sagt, was in deinem Unterbewusstsein vor sich geht, so dass du es durch die Linse einer neuen Weisheit wahrnehmen kannst.

Carl Gustav Jung, der berühmte Psychologe, verwendete die Symbole von Tarotkarten in seinen psychologischen Studien. Er schuf die Theorie der Archetypen, wo er eine umfangreiche Summe von Bildern entdeckte, die in der analytischen Psychologie helfen. Die Verwendung von Zeichnungen und Symbolen, um an ein tieferes Verständnis zu appellieren, wird häufig in der Psychoanalyse verwendet. Diese Allegorien sind Teil von uns und entsprechen Symbolen unseres Unterbewusstseins und unseres Geistes.

Unser Unbewusstes hat dunkle Bereiche, und wenn wir visuelle Techniken anwenden, können wir verschiedene Teile davon erreichen und Elemente unserer Persönlichkeit enthüllen, die wir nicht kennen. Wenn Sie es schaffen, diese Botschaften durch die Bildsprache des Tarots zu entschlüsseln, können Sie wählen, welche Entscheidungen Sie im Leben treffen möchten, um das Schicksal zu schaffen, das Sie wirklich wollen.

Das Tarot mit seinen Symbolen lehrt uns, dass es ein anderes Universum gibt, besonders heute, wo alles so chaotisch ist und für alle Dinge eine logische Erklärung gesucht wird.

Tarotkarten für jedes Sternzeichen 2023
Vier Pentakel, Tarotkarte für Widder 2023

Ruhe wird in Ihr Leben kommen. Sie werden in der Lage sein, Frieden und ein organisiertes Leben zu haben. Sie werden wissen, wie Sie auf sich selbst aufpassen können, und das wird Ihnen helfen, gesund zu bleiben. Es sagt ein gutes Geldgleichgewicht voraus, in der Tat, wenn Sie ein organisiertes Budget haben, wird es Ihnen helfen, eine große wirtschaftliche Stabilität aufrechtzuerhalten und als Ergebnis viele Gewinne zu erzielen. Es ist die perfekte Zeit für ein Geschäft, da das Glück auf Ihrer Seite ist.

Pique Ritter, Tarotkarte für Stier 2023

Wenn du lernst, deine Gedanken mit deinen Emotionen in Einklang zu bringen, wirst du Befriedigung bekommen. Wenn Ihre Gesundheit nicht gut ist oder Sie krank sind, werden Sie eine erstaunlich schnelle Genesung haben und wenn dies geschieht, werden Sie Ihr Leben ändern, indem Sie verantwortlich mit der Pflege umgehen, die Sie täglich haben müssen. Sie müssen vorsichtig sein, weil Ihre wirtschaftliche Macht Menschen anziehen kann, die nur an Ihrem Geld interessiert sind, also bewerten Sie, wer Ihre wahren Freundschaften sind. Denken Sie daran, dass der Erfolg zu Ihren Gunsten ist, aber durch eine Falle können Sie einen Teil dessen verlieren, was Sie erworben haben.

Königin der Zauberstäbe, Tarotkarte für Zwillinge 2023

Geduld ist unerlässlich, damit Sie jede auftretende Konfliktsituation lösen können. Für diejenigen, die Single sind, wenn sie eine sichere Beziehung wollen, sollten sie ruhig gehen. Wenn Sie einen Partner haben, wird es gute Zeiten geben, voller Liebe und Familienharmonie. Diese Tarotkarte deutet auf eine gute Gesundheit hin, schlägt aber vor, dass Sie sich um Ihre Knochen kümmern. Ihr befindet euch in einer Zeit des Wandels. Alles hängt von deiner inneren Stärke und Sicherheit in dem ab, was du erreichen kannst.

Abstinenz, Tarotkarte für Krebs 2023

Die Phase ist gekommen, in der Sie all die Projekte starten können, die Sie schon immer unternehmen wollten. Diejenigen, die einen Partner haben, sollten unglaublich vorsichtig mit dem sein, was sie sagen und tun, da sie aufgrund ihrer Unachtsamkeit Konflikte in der Beziehung verursachen könnten, ebenso sollten sie die Einmischung Dritter vermeiden. Investitionen werden ihnen große Belohnungen bieten, und sie werden auch in der Lage sein, Akquisitionen zu tätigen.

Der Narr, Tarotkarte für Leo 2023

Die Familie wird weiterhin Ihre Hauptquelle der Unterstützung sein, daher ist es wichtig, sich darauf zu konzentrieren, Zeit an ihrer Seite zu haben. Diejenigen, die nach Liebe suchen, werden eine Person finden, die ihnen das Gefühl gibt, wieder lebendig zu sein. In der Gesundheit ist es wichtig, dass Sie mit Ihren Diäten und mit der Bewegung, die Ihr Körper braucht, fortfahren. Es ist nicht die Zeit für dich, Dinge instinktiv zu tun, Intelligenz, Zeit und Ruhe müssen deine Verbündeten sein.

Die Macht, Tarotkarte für Jungfrau 2023

Selbst wenn du denkst, dass du nicht in einem deiner besten Momente bist oder dass das Leben besser laufen könnte, ist die Wahrheit, dass du nicht weißt, wie du alles sehen kannst, was du hast. Alles, was du im Leben erreicht hast; Sie haben dank Ihrer Bemühungen etwas erreicht, und das ist etwas, das Sie berücksichtigen müssen. Sie sollten nicht nur genießen, was Sie erreicht haben, sondern Sie müssen sich auch bewusst sein, dass dies der Weg ist, den Sie gehen müssen, wenn Sie weiterhin Erfolg haben wollen. Arbeite für das, was du willst.

Zauberstab-Ass, Tarotkarte für Waage

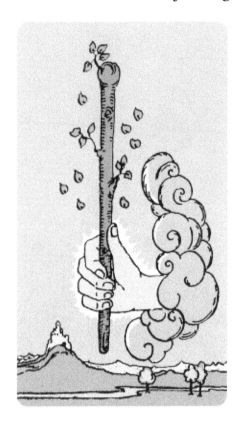

Sie können neue Herausforderungen und Ziele haben, die Sie erreichen werden, wenn Sie weiterhin so funktionieren wie bisher. Du wirst Leute in der Nähe haben, die dir helfen können, indem sie dir ihre Meinung über die Dinge sagen, aber die Wahrheit ist, dass das Wichtigste ist, dass du dir selbst vertraust. Sie müssen wissen, wie Sie zuhören und aus dem lernen können, was andere Ihnen sagen, aber Sie sollten sich immer Zeit nehmen, um nachzudenken und die für Sie am besten geeigneten Entscheidungen zu treffen. Ihr müsst eure Augen weit geöffnet haben, um die Realität sehen zu können, die ihr Leben müsst, es ist der einzige Weg, wie ihr die Gelegenheiten nutzen könnt, die kommen.

Acht Pentakel, Tarotkarte für Skorpion 2023

Du kannst mit verbundenen Augen durch die Welt gehen, aber es ist besser, dass du über deine Misserfolge und Errungenschaften meditierst, damit du Weisheit und Reife erlangen kannst, auf dein inneres Selbst hörst und entsprechend handelst, damit du Erfolg, Fülle und Glück erreichen kannst. Es ist nie zu spät, ein Studium zu beginnen oder den Beruf zu wechseln, wenn Sie sich auf einen Neuanfang freuen, machen Sie weiter, lassen Sie sich von nichts aufhalten. Für Singles wird es unerwartete Veränderungen geben, sie werden sogar ihre Lebensphilosophie oder ihre tiefsten Überzeugungen ändern müssen.

Königin der Pentakel, Tarotkarte für Schütze 2023

Für Sie ist es wichtig, unabhängig zu sein, das bedeutet nicht, dass Sie in Einsamkeit leben wollen, weil es möglich ist, eine Familie an der Spitze zu haben, aber Sie benötigen ein gewisses Maß an Unabhängigkeit, um allein zu handeln, Entscheidungen in persönlicher Eigenschaft zu treffen und sich nicht an das zu binden, was andere in ihrem Leben tun oder nicht tun. Große Erfolge am Arbeitsplatz. Euer Wohlstandsniveau wird zunehmen. Zögern Sie nicht, Zeit damit zu verbringen, Ihr Vermögen zu genießen, aber Sparen ist wichtig. Stellen Sie nicht alle vor sich, denn Ihre Gesundheit wird leiden.

Ass der Tassen, Tarotkarte für Steinbock 2023

Es kündigt Erfolg an, aber es wird durch harte Arbeit kommen. Nach einem Weg voller Hindernisse und Herausforderungen offenbart es eine Zeit des Wohlstands der Arbeitsplätze. Dies hängt vom Grad des Engagements ab, und die Opfer, die Sie für die Arbeit aufbringen, wenn Sie dies tun, werden Ihre Bemühungen belohnt. Du musst wachsam sein für alles, was deine Augen nicht sehen können, das heißt, was von deinem Unterbewusstsein wahrgenommen werden kann. Sei wachsam gegenüber Träumen. Es gibt ein Geheimnis, das Sie betrifft, und Sie sollten sich dessen bewusst sein. Jede Entscheidung, die Sie über Geld treffen, sollte vorsichtiger sein. Super bevorzugte Liebe.

Sechs Zauberstäbe, Tarotkarte für Wassermann 2023

Wenn Sie darüber nachdenken, nach einem neuen Job zu suchen, ist 2023 die Zeit. Sie wollten schon immer einen Job, der Ihnen mehr Zeit gibt, Ihre Freizeit zu genießen, dieser neue Job gibt Ihnen die Möglichkeit, Ihren Karriereweg zu ändern. Es ist an der Zeit, sich von Beziehungen zu lösen, zu lernen, mit sich selbst allein zu sein und zu entdecken, was man wirklich will. Ihr werdet wieder mit einer alten Freundschaft aus der Vergangenheit vereint sein, mit der ihr jeglichen Kontakt verloren hattet.

J Gold-Bube Tarotkarte für Fische 2023

Sie befinden sich in einer Zeit der Reflexion in Ihrem Leben, und es gibt keinen besseren Weg, sich selbst kennenzulernen, als eine Soloreise zu unternehmen, mit nicht mehr Gesellschaft als Sie selbst. In der Einsamkeit wirst du lernen, dich dunklen Momenten zu stellen, die dir helfen, deine Grenzen zu kennen und dich auf andere Weise den problematischen Situationen deines Lebens zu stellen. Sie sollten sich keine Sorgen machen, nicht viel Geld zu haben, schätzen Sie Ihre Lebensqualität mehr. Wie auch immer, viel Geld macht dich nicht glücklich, es gibt dir nur wirtschaftliche Sicherheit, angesichts dringender Ereignisse, die auftreten können. Mitte des Jahres wird das Geld in Ihre

Taschen fallen. Nach einer Zeit, in der Sie ausstehende Zahlungen nicht decken konnten, wird dies eines der besten Jahre Ihres Lebens sein.

Wahre Liebe

Liebe ist eine Emotion, der schon immer viel Wert beigemessen wurde. Es entsteht aus dem Bedürfnis, eine affektive Bindung aufzubauen, und wird dank Hingabe, Empathie und Aufmerksamkeit zwischen Menschen, die sich lieben, bewahrt. Liebe vereint so viele Emotionen, dass sie als kraftvolle Energie symbolisiert wurde, die alles heilt und der Schlüssel zu unserem Glück ist.

Wenn wir analysieren, sind die meisten unserer Emotionen in der Liebe enthalten, da sie sie auf die eine oder andere Weise mit ihrer Farbe durchdringt. Wenn Sie bereits verliebt waren oder sind, wissen Sie, wie es sich anfühlt, auch wenn Sie es nicht mit Details beschreiben können, die alle seine Tenazitäten umfassen.

Da es so viele Dinge gibt, bleibt es ein Rätsel, ob wahre Liebe existiert, besonders in unserem Jahrhundert, in dem Beziehungen so vergänglich und zerbrechlich sind. In unserer Gesellschaft behandeln viele Liebe als einen Artikel oder eine Dienstleistung und benutzen Beziehungen als Ware; Sie sehnen sich danach, aber wenn sie es bereits besitzen, werfen sie es in Vergessenheit. Diese Menschen erschöpfen sich geistig und emotional und versuchen, ihre bessere Hälfte durch Vergleiche zu finden, aber um das Ganze abzurunden, wenn sie es finden, wenn eine winzige Veränderung passiert, lehnen sie es ab, da die Idee, dass sie immer jemanden überlegen finden können, nach unten gezogen wurde.

Es ist ein Fehler zu glauben, dass wahre Liebe endet, wenn Veränderungen in der Beziehung auftreten, wenn wahre Liebe nicht darin besteht, in allem zusammenzufallen, sondern die gleichen Werte zu haben und gemeinsam Unterschiede zu akzeptieren. Wenn Sie sich verlieben, denken Sie daran, dass das Paar seine eigene Identität hat und sich verwandelt und dass seine Mitglieder reifen und sich entwickeln. Es ist absurd zu glauben, dass die anfängliche Leidenschaft ewig dauern wird, denn am Anfang, wenn wir uns verlieben, sublimieren wir nicht nur den anderen, sondern projizieren unsere Bestrebungen auf ihn.

Lassen Sie sich nicht desorientieren, die Liebe zu Hollywood-Filmen, Corin Tellado Romanen und Disney-Geschichten ist eine schöne und aufwendige Fantasie, die versucht, die wahre Liebe zu imitieren (jedenfalls habe ich nie den Teil gesehen, wie Aschenputtel oder Rapunzel in ihren Ehen). Wahre Liebe ist nicht etwas, das du findest, es ist etwas, das du aufbaust, langsam und mit großer Vorsicht.

Wenn Sie mit einer Person zusammen sind, mit der Sie bereits die Anfangsphase der Beziehung überschritten haben, und Ihnen Vertrauen schenken, teilen Sie Ihre Träume (denn wenn es keine gemeinsamen Zwecke gibt, ist jede Beziehung dazu prädestiniert, auseinanderzufallen), ist Ihr Freund und Vertrauter (es kann keine Liebe ohne Freundschaft geben), respektiert Sie, wacht morgens glücklich auf zu sehen, dass Sie an seiner Seite sind, Es hört dir zu und kümmert sich um dich (Kommunikation ist eine grundlegende Grundlage in Paaren), das ist wahre Liebe. Wenn du auch die Überzeugung hast, dass diese Person dich unterstützen und dich nicht vergessen wird, unabhängig von den Umständen, die auftreten mögen, deutet das darauf hin, dass sie eine emotionale Verbindung hat, dass es Engagement gibt, und in diesem Fall ist es gleichbedeutend mit wahrer Liebe.

Diese Dinge brauchen Zeit, um sich zu entwickeln, Sie müssen lernen, mit dem

Unterschiede, weil wir unseren Klon nicht heiraten, müssen wir die Beziehung ständig bearbeiten, weil wahre Liebe nicht wirklich eine Emotion oder gefühlsweise ist, es ist eine Art zu leben.

Runen des Jahres 2023 von Zodiac Sign.

Runen sind eine Reihe von Symbolen, die ein Alphabet bilden.

"Rune" bedeutet geheim und symbolisiert das Geräusch eines Steins, der mit einem anderen kollidiert. Runen sind eine legendäre visionäre und magische Methode. Die Runen dienen nicht für genaue Vorhersagen, aber sie dienen dazu, dich zu einem zukünftigen Ereignis, einem Thema oder einer Entscheidung zu führen.

Die Runen haben eine spezifische Bedeutung für die Person, die es will, aber auch eine Botschaft, die sich auf die Widrigkeiten bezieht, die im Leben entstehen.

Fehu, Rune des Widders 2023

Diese Rune wird Wohlstand in dein Leben bringen, zeigt materielle Fruchtbarkeit an, du kannst alles bekommen, was du vorschlägst, und du wirst viel Frieden im Sinne der Wirtschaft haben. Sie werden viele Belohnungen erhalten, weil Sie es versuchen werden. Wenn Sie nach Kindern gesucht haben, werden Sie es bekommen. Wenn Sie neue Projekte starten wollen, werden Sie es tun, und Sie werden phänomenal erfolgreich sein, weil Sie unerwartete Hilfe erhalten.

Es stellt eine erwiderte Liebe dar, bei der die Beziehung des Paares solide und harmonisch ist. Als ihre Gottheit Freyja, die Wikingergöttin der Liebe, prophezeit sie eine blühende Zukunft in Herzensangelegenheiten.

Sie können die Rune Fehu verfolgen, ihr Symbol als Ornament verwenden, sie als Hintergrundbild auf Ihrem Telefon oder Computer platzieren, weil sie die Rune des Wohlstands ist, daher wird sie ihre Energien anziehen, wenn sie vorhanden ist.

Es symbolisiert wirtschaftliche Vorteile und Reichtum. Sie müssen mit anderen teilen. Es zeigt den Beginn einer guten Periode an, in der Sie kurzfristige finanzielle Vorteile haben.

Bei der Arbeit kommt eine angenehme Phase, mit dem Erreichen Ihrer Ziele. Wenn Sie derzeit nicht arbeiten, sagen Sie Vorstellungsgespräche voraus.

Jera, Stier Rune 2023

Es bedeutet Energien, die abgeschlossen sind, aber sie sind entgegengesetzt. Es repräsentiert Produktion und Fruchtbarkeit.

Jera ist eine profitable Rune; Es sagt dir, dass alles zu seiner Zeit kommt, wenn du vernünftig und sensibel gehandelt hast.

Er weist auch darauf hin, dass das, was mit dir passiert, das Ergebnis von Kausalität sein kann. Es ist der Höhepunkt dessen, was Sie vor nicht allzu langer Zeit geändert haben und das sich auf das Ursache-Wirkungs-Gesetz bezieht. Du bekommst, was du säst.

Als Amulett hilft dir Jera in Situationen, in denen du Transformationen durchmachst. Es hilft Ihnen bei Stimulation und Anstrengungen. In rechtlichen Angelegenheiten ist es ein großer Verbündeter, und in Fragen der Wohlfahrt oder Kinder zu haben.

In der Liebe weist er darauf hin, dass es eine starke Verbindung zu Ihrem Partner gibt, eine transzendentale Bindung wird geschätzt. Sie können Phasen der Nostalgie durchlaufen oder Ihre Beziehungen verstärken. Jera erinnert Sie an die Anforderung, zu erwarten, dass sich das, was Sie gesät haben, in seinem eigenen Tempo entwickelt, bevor Sie die Früchte ernten, die Ihnen Wohlbefinden bringen. Diese Rune fordert dich auf, dich weise und ehrlich in deinen Erwartungen zu verhalten, damit die genauen Bedingungen erfüllt sind, damit deine Zwecke funktionieren. Geht mit Respekt vor, seid positiv angesichts von Problemen, da sie Teil eurer Evolution sind.

Laguz, Zwillinge Rune 2023

In Liebesbeziehungen sagt Laguz ein wunderbares Jahr voraus, in dem Sie mit Ihrem Partner ohne Anstrengung vollständig verstehen werden. Sie werden Momente der Leidenschaft auf natürliche Weise erleben, die Sie zu einer intimeren Behandlung führen.

Es ist ein Symbol für die essenzielle Energie der Natur. Es suggeriert Reichtum in der Seele.

2023 wird ein Jahr des Wiederaufbaus und der Erprobung. Es wird Ereignisse geben, die Transformationen erfordern, bei denen ihr gezwungen sein werdet, das Alte zu zerstören und eine intensive innere und äußere Reinigung vorzunehmen, das Verschlechterte für das zu ändern, was ihr wirklich braucht.

Diese Rune drängt dich, das Leben zu genießen. Sie wollen nicht alles aus der Logik heraus verarbeiten. Folgen Sie Ihrer Intuition, wie fließendes Wasser und lassen Sie sich in das ein, was in Ihr Leben kommt, ohne gegen den Strom zu schwimmen. Ihr Erfolg liegt darin, das zu finden, was Ihnen gefällt, weil Sie jemand Besonderes sind.

Kämpfe nicht unermüdlich mit dem, was dir passiert oder versuche, alles zu dominieren. Lassen Sie sich von Ihrer Intelligenz und Vorstellungskraft mit den Antworten versorgen, die Sie brauchen. Sei *empfänglich, praktiziere neue kreative Ideen, damit du in jedem Bereich deines Lebens, der dich betrifft, vorankommst.*

Dagaz, Krebs Rune 2023

Es symbolisiert die kosmische Vereinigung zwischen Himmel und Erde. Zwei unvereinbare Energien, die zusammenkommen, um ein neutrales Ganzes zu bilden.

Es motiviert dich, zu wachsen und anders zu handeln. Es ist ein Talisman gegen schwarze Magie und hilft Ihnen, Ihre Ziele zu erreichen und Ihre dunklen Momente in Licht umzuwandeln.

Diese Rune ist das Licht nach einer schwierigen Zeit; Sie möchte, dass Sie sich daran erinnern, dass unangenehme Momente nicht ewig sind, sie folgen einem traditionellen Prozess und enden von selbst und hinterlassen Erfahrungen.

Dagaz ist das Licht am Ende des Tunnels, die Morgendämmerung nach der Dunkelheit, den Schlüssel zur Tür zu finden, die dir Freiheit gibt. Eine große Transformation steht bevor, und mit ihr euer Sieg angesichts des Schmerzes.

Du fängst an, das Schlechte hinter dir zu lassen und die Lösungen zu finden, nach denen du gesucht hast. Mit dem Licht dieser Rune erhalten Sie Erfolg, den Höhepunkt einer Etappe, den Beginn eines neuen Tages. In diesem drastischen Neuanfang bewacht dich Dagaz.

Diese Metamorphose ist unvorhergesehen, von diesem Moment an wirst du jemand anderes sein. Dagaz verheißt eine Phase des Wachstums, der Klarheit.

Gebo, Runa de Leo 2023

Eine Phase des Erfolgs erwartet Sie, Sie erhalten Geschenke, Wohltätigkeitsveranstaltungen von anderen Menschen.

Diese Rune würdigt sentimentale Liebe, Verpflichtungen oder der Beginn einer Familie nähern sich. Gebo-Einflüsse, die jedes Mitglied des Paares auf ausgewogene Weise liefert und empfängt, um diese sentimentale Vereinigung zu festigen. Es ist ein Zeichen erhabener Energie, die in deiner Umgebung ist und die dich unter bestimmten Umständen begünstigt.

Verachtet nicht die Zugeständnisse, die in eurem Leben erscheinen, da sie die Größe des Universums bestätigen. Sei empfänglich für den Empfang dieser Geschenke und nimm die materielle Hilfe an, die sie dir gewähren.

Diese Rune bittet dich, mutig und riskant zu sein, wenn es darum geht, anderen zu helfen, aber ohne deine Unabhängigkeit aufzuheben.

Gebo warnt Sie davor, in dieser Allianz zu ertrinken, und betont, dass die beste Partnerschaft dort ist, wo es ein Gleichgewicht gibt.

Diese Rune teilt dir eine günstige Zeit mit, um das zu erreichen, was du visualisiert hast, da sie Erfolge bestätigt.

Gebo symbolisiert, dass eine perfekte Bühne bevorsteht, um neue Verbindungen zu stärken, um in administrativen Angelegenheiten voranzukommen.

Diese wunderbare Rune sagt voraus, dass es die perfekte Zeit für alles ist, was du dir gewünscht hast. Wenn es geschieht, denken Sie daran, dass derjenige, der gibt, immer empfängt.

Isa, Jungfrau-Rune 2023

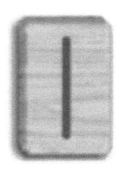

Mit dieser Rune lähmt dich etwas und zwingt dich, untätig zu bleiben. Etwas hört in deinem Leben auf: eine Romanze, ein Job oder ein Studium. Aber denken Sie daran, dass dies vorübergehend ist.

Beharren Sie nicht darauf, beobachten Sie die Details, da Sie dadurch bewegungsunfähig werden. Fließen Sie mit dem Universum, befreien Sie sich. Wenn du das tust, werden die Konflikte, die dich gefangen haben, verschwinden. Kämpfe nicht, lass dich gehen und warte auf eine bessere Gelegenheit. Bewerten Sie Ihre Vorsätze gut und haben Sie Weisheit in neuen Freundschaften, damit unvorhergesehene Dinge nicht passieren.

Lassen Sie sich nicht durch übertriebene Erscheinungen oder falsche Wege verwirren. Selbst wenn etwas konkret erscheint, kann es zerstört oder beschädigt werden.

Mannaz, Waage Rune 2023

Diese Rune sagt dir, dass du, um andere zu verstehen, zuerst dich selbst verstehen musst. Sagen Sie voraus, dass es Veränderungen auf Ihrem Weg gibt. Es erinnert dich daran, dass, selbst wenn du andere ändern willst, du es nicht kannst, du kannst dich nur selbst transformieren.

Dieses Jahr 2023 fordert Ihren inneren Fortschritt. Versuchen Sie, sich zu ändern, damit Sie sich an diese neue Umgebung anpassen können. Diese Rune erinnert dich daran, dass der Ursprung der Transformation du selbst bist, also sei bereit, die Veränderungen des Herzens zu akzeptieren.

Sie leben in einer nebligen Zeit, also müssen Sie sich daran erinnern, dass das Land zuerst gedüngt wird, bevor Sie es kultivieren, kurz gesagt, Sie müssen geduldig sein.

Schaue in dein Unterbewusstsein, entdecke deine Schwächen, schätze deine Eigenschaften und kontrolliere, wie du kommunizierst. Du musst aufrichtig sein und dich selbst mit Würde beurteilen. Diese Rune knüpft an die Einfachheit an und rät Ihnen, sich mit Respekt auf Ihre Verpflichtungen zu konzentrieren.

Tiewaz, Skorpion-Rune 2023

Es drückt Mut und Sieg aus. Tiwaz führt die Person der kämpfenden Seele mit Zuversicht und Entschlossenheit auf den richtigen Weg.

Es sagt eine Zeit großer körperlicher Stärke voraus. Wenn Sie sich erholen oder krank sind, zeigt es, dass Sie besser werden und Ihre Energie wiedererlangen werden; Im Falle einer Operation wird es gut gehen.

Diese Rune ist das Werkzeug, das das Veraltete oder das, was dir in die Quere kommt, unterteilt, so dass es dich einlädt, bestimmte Dinge loszulassen, zu denen du Zuneigung hast. Es verheißt, dass das, was passiert, besser sein wird als zuvor, auch wenn es traurig oder peinlich ist.

Teiwaz ist die Rune der Ermutigung, des Wertes und der Lieferung. Es zeigt Beharrlichkeit, um die Hindernisse auf dem Weg zu überwinden. Diese Rune sagt den Triumph voraus, wenn deine Ziele legal und ehrenhaft sind.

Diese Rune warnt dich, dass du die notwendige Konstanz hast, um Fortschritte zu machen und Erfolg zu haben, zusammen mit der Fähigkeit, das aufzubrechen, was deinen Kurs behindert.

Entscheide dich zu kämpfen und zu gewinnen. Sie werden sich auf Ihrem Weg Problemen stellen müssen, aber beginnen Sie Ihren Kampf mit Interesse und Überzeugung, da Sie das Potenzial haben, das zu erreichen, was Sie sich vorgenommen haben.

Othila, Rune des Schützen 2023

Othila ist eine nützliche Rune, um Eigentum zu erwerben und in materielle Dinge zu investieren. Es sagt den Triumph in dem, was Sie beginnen, persönliche Entwicklung und erreichte Ziele voraus.

Sagen Sie voraus, dass Sie den Preis für Ihren Mut erhalten und sich Möglichkeiten ergeben, weiterzukommen.

Diese Rune weist darauf hin, dass du professionelle Leute um Rat fragen solltest, damit du dich den Herausforderungen stellen kannst, die vor dir liegen. Es ist nicht leicht, sich von denen zu trennen, die Sie schätzen, aber es ist notwendig, Ihre Ziele zu erreichen, die auch Ihrer familiären, sozialen und beruflichen Sphäre schaden werden. Nehmen Sie also die Herausforderung an und konzentrieren Sie sich auf den Weg, den Sie beginnen.

Du solltest kein dreidimensionales Leben haben, das dich verzehrt. Sie müssen sich anpassen und in der Lage sein, den Kurs zu ändern. Sie können nicht für immer weglaufen, es ist Zeit, hineinzuspringen, die Extrameile zu gehen und für sich selbst zu sorgen.

Nauthiz, Steinbock-Rune 2023

Diese Rune ist mit einer konfliktreichen Phase verbunden, in der Sie bestimmte Gefahren durchmachen können. Es besteht die Möglichkeit schwerwiegender Komplikationen, aus diesem Grund verstehen Sie, was Ihre Einschränkungen sind.

In Liebesfragen zeigt die Nauthiz Rune eine komplizierte Beziehung und schwer zu ertragen. Der Mangel an Vertrauen in Ihren Partner verzögert die Konsolidierung der Beziehung. Diese Rune zeigt eine Zeit der Schwierigkeiten an und dass du dieses Kreuz tragen wirst, bis du die Situation akzeptierst. Man braucht Mut, um mit einer traurigen Atmosphäre fertig zu werden. Kalkulieren Sie, wie weit Sie gehen können und welche Enttäuschungen Ihnen diese Phase bereiten kann.

Die Sorgen, die du gerade jetzt hast, lehren dich, dass du auf der Suche nach einem größeren Gut etwas loslassen, aufgeschobene Schulden zurückzahlen und dich Problemen stellen musst. Akzeptiere, dass Hindernisse dein bester Freund sind.

Perthro, Wassermann-Rune 2023

Er sagt voraus, dass Sie in diesem Jahr eine ernsthafte sentimentale Bindung aufbauen können, aber dass Sie geduldig sein müssen, damit die Beziehung Schritt für Schritt gefestigt wird, du keine Phasen überspringen.

Vergesst nicht, dass Karma existiert und dass eure vergangenen Handlungen eure Gegenwart und Zukunft beeinflussen. Viele Dinge, die dich beunruhigen, sind verborgen oder geheim.

Materiell werden Überraschungen in Form von spontanen Vorteilen, einem neuen Job, Chancen usw. kommen. Es ist der richtige Zeitpunkt, sich innerlich zu erneuern, über den Tellerrand zu schauen und seine Ziele im Leben zu erweitern.

Mit dieser Rune wirst du empfänglicher für feinstoffliche Kräfte sein. Auch wenn du das Gefühl hast, dass du nicht gedeihst, transformieren die mächtigen Energien der Mutation dein Leben.

Was Sie von außen sehen, unterscheidet sich von dem, was Sie von innen sehen. Lebe die Gegenwart, ohne dich der Vergangenheit zu unterwerfen oder für die Zukunft zu leiden. Es gibt nur das Hier und Jetzt.

Thurisaz, Fische Rune 2023

Diese Rune symbolisiert Leiden, die durch unbewusste Konflikte hervorgerufen werden. Es ist keine Rune der Bewegung, sondern der Reflexion.

Thurisaz rät Ihnen, vor jeder Gelegenheit intensiv zu meditieren, da Sie mehr Schäden als Vorteile erhalten können.

Es verheißt, dass Sie einen Glücksfall erhalten könnten, aber Sie können sich selbst nicht vertrauen, weil Thurisaz Sie vor Problemen und Momenten warnt, die Sie innehalten oder desorientieren lassen.

Deshalb schlägt er eine Zeit der Meditation vor. Thurisaz ist kompliziert, da es darauf hinweist, dass Sie Maßnahmen ergreifen müssen, die Sie nicht wollen. Ihr müsst auf diese Schwierigkeiten in eurem Leben vorbereitet sein.

Obwohl es unvermeidlich ist, schwierige Momente zu vermeiden, werden Sie in der Lage sein, Ihre Fähigkeit zu beweisen, sich ihnen zu stellen. Analysiere dein Leben, deine Erfolge, Freuden, Herausforderungen und deine Sorgen, bevor du die Schwelle überschreitest.

Glücksfarben für jedes Sternzeichen

Farben beeinflussen uns psychologisch; Sie beeinflussen unsere Wertschätzung von Dingen, unsere Meinung über etwas oder jemanden und können verwendet werden, um unsere Entscheidungen zu beeinflussen.

Die Traditionen, das neue Jahr zu empfangen, variieren von Land zu Land, und in der Nacht des 31. Dezember gleichen wir alles Positive und Negative aus, das wir in dem Jahr leben, das geht. Wir beginnen darüber nachzudenken, was zu tun ist, um unser Glück im neuen Jahr, das sich nähert, zu verwandeln.

Es gibt mehrere Möglichkeiten, positive Energien auf uns zu ziehen, wenn wir das neue Jahr empfangen, und eine davon ist, Accessoires einer bestimmten Farbe zu tragen oder zu tragen, die das anzieht, was wir für das beginnende Jahr wollen.

Farben haben Energieladungen, die unser Leben beeinflussen, daher ist es immer ratsam, das Jahr in einer Farbe zu erhalten, die die Energien dessen anzieht, was wir erreichen wollen.

Dafür gibt es Farben, die mit jedem Sternzeichen positiv schwingen, daher ist die Empfehlung, dass Sie Kleidung mit der Tonalität tragen, die Sie im Jahr 2023 Wohlstand, Gesundheit und Liebe anziehen lässt. (Sie können diese Farben auch den Rest des Jahres für wichtige Anlässe oder zur Verbesserung Ihrer Tage tragen.)

Denken Sie daran, dass, obwohl es am häufigsten ist, rote Unterwäsche für Leidenschaft, Rosa für Liebe und Gelb oder Gold für Fülle zu tragen, es nie zu viel ist, in unserem Outfit die Farbe anzubringen, die unserem Sternzeichen am meisten zugutekommt.

Widder

Gelb.

Es ist schwer, Gelb zu ignorieren, und wenn der Farbton wie Gold ist, projiziert es Wohlstand. Es ist die Farbe der Intelligenz, und es kann Ihnen helfen, klar zu denken.

Das Gelb ist hell und klar und hellt alles auf, was es berührt. Es ist die Farbe der Sonne, also symbolisiert es Zufriedenheit, Willen, Kreativität und eine Summe neuer Gefühle und Freude.

Es ist eine wirksame Farbe auf psychologischer Ebene und könnte Blutdruck, Blutzuckerspiegel regulieren, Ihren Darm reinigen, Arthritis lindern und Ihre Haut heilen. Es dient dazu, emotionale Probleme auszugleichen, insbesondere wenn wir negative obsessive Gedanken haben.

Es ist die beste Farbe, wenn wir negative Teile unserer Persönlichkeit verändern wollen, da Gelb fröhlich ist und objektivere Nuancen auf unsere mentale Einstellung überträgt.

Ihr Verdauungssystem kann mit gelben Strahlen gereinigt werden. Sie sollten eine Pause von Ihrer täglichen Routine einlegen und jeden Tag ein paar Minuten an einem Ort verbringen, an dem Sie die Sonnenstrahlen spüren können. Sie werden spüren, wie Ihr Körper energetischer wird.

Gießen Sie Wasser in ein gelbes Glas und stellen Sie es für eine halbe Stunde in Sonnenlicht. Trinken Sie dieses Wasser, während Sie sich darauf konzentrieren, Ihren Körper, Geist und Ihr Herz zu reinigen.

Die Hauptmerkmale von Gelb sind seine Strahlkraft und leuchtende Besonderheit. Gelb ist expansiv und ungehemmt, so dass es bei der Entspannung hilft. Eine gelbe Rose anzubieten ist gleichbedeutend mit Freundschaft und dem Angebot eines Neubeginns.

Der Farbton des Luftelements ist gelb. Es intensiviert geistige Talente und Denkprozesse, daher wird jede Idee, die unlogisch oder unvernünftig ist, eliminiert, wenn Sie diese Farbe verwenden.

Um sich in der materiellen Welt zu manifestieren, ist dies die beste Farbe, da sie die Geheimnisse des Bewusstseins und Unterbewusstseins beleuchtet. Es stimuliert die Fähigkeiten des Geistes und ermöglicht es ihm, wie ein Schwamm zu arbeiten.

Menschen, die gelbe Farbe in der Aura haben, sind voller Freude und innerem Frieden. Diese Menschen sind an nichts oder irgendjemanden gebunden, und sie sind immer freundlich. Ein Heiligenschein um den gelben Kopf symbolisiert einen spirituellen Meister. Für ganzheitliche Therapeuten ist Gelb die Farbe des Friedens und es ist die Farbe des Solarplexus-Chakras.

Die Quarze, die Gelb darstellen, sind Citrin, Bernstein und Topas.

In den Gelbtönen finden wir **Zitrone**, eine warme Farbe, die das Potenzial hat, das Gehirn zu nähren, so dass Sie sich klar projizieren, fest entscheiden und Ihr Gedächtnis verstärken können.

Diese Farbe ist fabelhaft, um Ihnen bei Studien, Analyse und Rechtschreibung zu helfen. Es stimuliert nicht nur das Gehirn, sondern reinigt, da es einen Grünton in seinem Spektrum enthält.

Die Zitrone drückt Giftstoffe nach außen, damit sie gereinigt werden können. Zitronengelb wirkt, wenn Bauchkrämpfe, Appetitlosigkeit, Knochenschmerzen, Hautausschläge, schlechte Verdauung, epidermale Hautausschläge und andere Hautkrankheiten geheilt werden müssen.

Stier

Rot.

Rot ist eine inspirierende, wichtige, kraftvolle und feurige Farbe. Es ist die Farbe des Lebens und der Liebe. Es ist immer die erste Farbe, die es schafft, vom menschlichen Auge wahrgenommen zu werden und eine kardinale und ermutigende Energie auszudrücken.

Sie aktiviert die wesentlichen Grenzen von Überlebenskonflikten. Es ist eine aufregende Farbe. Rot ist die am häufigsten verwendete Farbe in Flaggen, da es eine energetische Aussage macht.

Ein Individuum, das ein herausforderndes Szenario oder eine Eventualität durchmacht, in der ein Streit entstehen könnte, ist Rot eine großartige Farbe, wenn es überlegen sein will. Rot kann eine bedrohliche Farbe sein; Es macht Dinge möglich. Es bricht die Emotionen von Selbstmitleid, Nostalgie, Apathie und Entmutigung.

Rot kann die Kälte abwehren, eine bessere Durchblutung bringen und die Sexualität anregen. Rot verstärkt den menschlichen Stoffwechsel, erhöht die Brustperiodizität und erhöht den Blutdruck.

Es zeigt eine intensive Pflicht und Begeisterung in der Liebe und setzt diese Liebe in physischer Manifestation frei. Eine rote Rose zu geben, steht für Liebe, Schönheit und Demut.

So wie Rot Wut suggerieren kann, zeigt es auch Liebe an und kann eine sehr charmante Farbe sein. Es symbolisiert Ehe, Stärke, Liebe, Lust, Autorität, Fruchtbarkeit und Stärke.

Rot kann verwendet werden, um Menschen zu ermutigen, schnelle Vereinbarungen zu treffen und die Aufmerksamkeit anderer auf sich zu ziehen. Rot ist die Farbe der Führung.

In der Aura symbolisiert Rot materialistische Neigungen. Rot symbolisiert das Feuerelement und ist die Farbe des Wurzelchakras. Die Quarze, die die roten Eigenschaften darstellen, sind Granat, Rubin, roter Jaspis, Rosenquarz, rote Koralle, Stein und Feuerachat.

Es ist ein wirksamer Generator zur Heilung von Blutkrankheiten, Optimierung der Durchblutung, Linderung von Krankheiten, Heilung von Wunden, Erwärmung kalter Bereiche des Körpers und Linderung von Schmerzen. Weil es Adrenalin freisetzt und geistige und körperliche Energie stimuliert, beruhigt es Depressionen.

In den Rottönen finden wir **Rubin**, eine Farbe der Lebendigkeit, Erneuerung und Kraft. Es ist eine Farbe für Wohlbefinden, Mut und Motivation.

Ruby ermutigt auch zurückgezogene Menschen, ihre Komfortzone zu verlassen, indem sie ihre Sicherheit füttern. Sie können eine Rubinmedaille verwenden oder einen Rubinstein halten, um Ihren Körper zu stärken und ihn zum Triumph zu motivieren.

Scharlachrot ist ein weiterer Rotton, der sich durch seine Leidenschaft, Helligkeit und Stärke auszeichnet. Er ist bekannt für seine Kraft und Dynamik, also verlangt er, gesehen zu werden.

Zwillinge

Orange.

Orange ist eine festliche Farbe. Es kompensiert die Lebenskraft von Rot mit der Lebendigkeit von Gelb. Dies koordiniert die physische Energie mit der Kraft der Gedanken und erleichtert die Fähigkeit zum Wissen sowie zum Erfolg.

Diese Farbe treibt neue Visionen voran. Es ist nachdenklich und kraftvoll und steht für Wärme, Spaß, Wohlbefinden, Toleranz und Leidenschaft für das Leben.

Orange hilft, Magenerkrankungen sowie Atemwegs- und Nebennierenerkrankungen zu lindern. Es fördert auch die Behandlung von Asthma, Angst, Verlassenheit, Krampfanfällen, Unruhe, Verstopfung, Verstopfung und Melancholie. Verbessern Sie Ihr Immunsystem und erneuern Sie Ihre erotische Energie.

Es ist die Farbe des Herbstes und kann mit sozialen Energien verbunden werden, die die Verschmelzung von Menschen und die Zusammenarbeit mit anderen beinhalten. Orange bezieht sich auf Zufriedenheit, Wissen, Erfolg und Anziehungskraft.

In der Aura gesehen, ist Orange eine Farbe der Kraft, und seine Fülle offenbart eine entwickelte Seele. Es ist die Farbe des Sakral Chakras, und es bringt Gefühle der Zusammenarbeit.

Eine orangefarbene Rose zu geben, zeigt Ihre Bewunderung und Wünsche für die Person. Orange ist eine schwache Farbe im Spektrum der warmen Farben, die mit Rot korreliert.

Es verbessert das Selbstvertrauen, aber nicht auf die gleiche Weise wie Rot. Rot stimuliert, während Orange Gelassenheit verleiht. Rot ist kommunikativ, während orange angenehm ist.

Orange hilft, schlechte Gewohnheiten, Obsessionen zu beseitigen und Einsamkeit, Schuldgefühle und Sorgen zu vertreiben. Menschen, die unter Panikattacken oder Entmutigung leiden, können mit dieser Farbe bevorzugt werden.

Orange soll die Sauerstoffzirkulation des Gehirns, den Appetit und die sexuelle Energie erhöhen. Die Quarze, die Orange symbolisieren, sind Karneol und Opal.

Pfirsich, ein oranger Farbton, hilft, Stress und Verspannungen vom Körper zu lösen und jedes Gewicht auf Brust und Rumpf zu mildern. Es bringt auch Sympathie in Ihr Leben und zieht neue Möglichkeiten für Wohlstand an.

Koralle, ein weiterer Orangeton, rehabilitiert die körperliche Stärke aufgrund ihrer Affinität zum Erdelement, so dass Stress, Angst und Angst freigesetzt werden können. Es hilft auch Synchronizität und Fluss in Ihrem Leben.

Mandarine ist eine weitere Variation von Orange, die Ihre kreativen Energien stimulieren könnte. Es symbolisiert Glück, Anstrengung und Vertrauen.

Krebs

Grün.

Die grüne Farbe wirkt entspannend, sorgt für Ausgleich und regeneriert Körper, Geist und Seele. Es ist die Farbe unseres Ökosystems und steht für Entwicklung und Fruchtbarkeit. Es ist auch die Farbe der Transformation und hängt mit Illusionen und Langlebigkeit zusammen. Es ist mit Frieden, Stille, Harmonie, Empathie und Wohlbefinden verbunden.

Es ist seit jeher mit Gesundheit verbunden. Grün revitalisiert das Nervensystem, Herz, Kreislauf, Leber und Blutdruck.

In der Reihe der kalten Farben, die den menschlichen Organismus beruhigen und Frieden geben, ist Grün die Nummer eins. Es stellt das Gleichgewicht und die Ausrichtung zwischen den materiellen und spirituellen Nuancen des Lebens her. Es ist ein Element der Modulation zwischen warmen und kalten Farben.

Es ist die Farbe, die mit Mutter Erde und dem Erdelement verbunden ist. Grün symbolisiert Fülle, Festigkeit, Selbstbezogenheit und Harmonie.

Es repräsentiert den heilenden Ratgeber und die Lebenskraft. Mit Grün wird das Leben wiederhergestellt und stimuliert. Es ist eine hypnotische Farbe, die authentische Kraft anzieht und ein energetischer Heilstrahl ist. Es lindert Ungeduld durch Gleichgewicht und nicht durch Motivation wie warme Farben. Es entspannt das Nervensystem und revitalisiert bei überlasteten psychischen Bedingungen. Grün hilft bei der Heilung von Migräne, Bluthochdruck und Ulzerationen.

Es sollte niemals bei Krebstumoren angewendet werden, da Grün auch das Wachstum stimuliert.

Die Edelsteine, die die Qualitäten von Grün veranschaulichen, sind grüne Jade, Smaragd, Malachit, Turmalin, Peridot und Aventurin.

Wenn eine Person starkes Grün in ihrer Aura hat, ist sie ein natürlicher Heiler. Das Herzchakra ist grün und ist oft die Farbe, die mit den Energien des Herzens zusammenhängt, da es die Verbindung zwischen dem Physischen und dem Spirituellen, wie dem Herzen, ist.

Ordnung und Kohärenz können mit grünen sowie gesunden Bräuchen und Praktiken eingeführt werden. Es schafft eine ruhige und friedliche Umgebung.

Viele Menschen beziehen Grün auf Geld und Reichtum. Es ist ein Magnet für Wohlstand, aber nicht aus einem Handlungsansatz, sondern von einem Standpunkt aus, um den Raum für Wohlstand zu schaffen.

Smaragd, einer der Grüntöne, hilft, Ängste und Frustration zu überwinden und Frieden zu schaffen. Verwenden Sie diese Farbe, um Harmonie in widersprüchliche Situationen zu bringen, eine Bedrohung aufzulösen und ein gebrochenes Herz zu heilen. Smaragd verstärkt auch das Selbstwertgefühl, zieht Fülle an und stellt Ihre Energien wieder her.

Jade, eine Farbe, die Gelassenheit und Ruhe bietet, ist ein weiterer Grünton. Es schafft Harmonie und Selbstgenügsamkeit, löst Negativität *aus Ihrem Geist und stimuliert Ideen, was es einfacher macht, das Komplizierte einfach und machbar erscheinen zu lassen.*

Löwe

Blau

Eine der frischesten Farben ist Blau. Es hängt mit Ehrlichkeit, Gerechtigkeit und Intelligenz zusammen. Blau aktiviert Ihre Heilkräfte, steigert die Vitalität und wirkt beruhigend, wenn wir nervös sind.

Diese Farbe enthält desinfizierende Eigenschaften, die Wunden heilen, Blutungen unterbrechen und Fieber verbessern. Blau kann sogar Ihren Stoffwechsel beschleunigen. Es ist vorteilhaft für die Durchblutung, aktiviert Ihre Intuition und künstlerischen Ausdruck. In Kombination mit wärmeren Farben hilft es bei der Heilung von Kopfschmerzen, Zahnschmerzen, Asthma, Bluthochdruck und Bronchitis.

Blau ist mit dem Wasserelement verbunden, und Menschen mit einem starken Blau in ihrer Aura sind ausgeglichen. Es ist die frischeste Farbe des Spektrums und symbolisiert Glaube, Wahrheit, Ruhe, Himmel und Intelligenz. Blau korreliert mit Bewusstsein. Die ägyptischen Pharaonen benutzten Blau, um sich vor dem Bösen zu schützen.

Blau ist die Farbe des Halschakras. *Quarz*, der verwendet werden kann, um Blau darzustellen, sind Saphir, blauer Topas und Lapislazuli.

Diese schöne Farbe hilft uns, demütig zu sein, und lässt uns in Richtung spiritueller Reife gehen und uns zu einem höheren Bewusstseinszustand entwickeln. Hellblau steht für spirituelle Entwicklung und Frieden.

Blaugrün, ein Blauton, repräsentiert den Willen und ist passiv, autonom, besitzergreifend und unveränderlich. Seine affektiven Aspekte sind Beharrlichkeit, Selbstbestätigung und Selbstwertgefühl.

Dunkelblau steht stellvertretend für Erfahrungen, Tiefe, Wissen und Kraft.

Türkisblau strahlt eine erfrischende, frische und fantasievolle Kraft aus. Es ist ein Symbol der Jugend. Es hat eine beruhigende Wirkung. Der Stein, der verwendet wird, um diese Farbe darzustellen, ist Aquamarin. Mit diesem Ton können Sie Stress und Müdigkeit reduzieren, wenn Sie ihn bei der Dekoration Ihres Hauses verwenden, da er den Räumen Klarheit verleiht. Es ist vielseitig in Kombination mit anderen Farben und hilft, einen erholsamen und tiefen Schlaf zu erreichen. Darüber hinaus stärkt es zwischenmenschliche Beziehungen.

Das blaue Aqua schafft einen Zustand der Ruhe und des Friedens, indem es Geist und Nerven beruhigt. Es ist eine ausgezeichnete Farbe für Meditation und hilft Ihnen, Geduld, Glauben und Akzeptanz zu haben. Löse deine Ängste auf, indem du dir hilfst, Selbstvertrauen und Glauben zu entwickeln.

Saphirblau heilt, reinigt und regeneriert Ihren Körper. Es könnte auch deinen Geist beruhigen und dich von emotionalem Schmerz befreien.

Jungfrau

Silber.

Es ist die Farbe des Friedens und der Ausdauer, beruhigt nervöse Spannungen, bringt Frieden und erweitert das Bewusstsein. Es verstärkt den Heilungsprozess, indem es die Toxizität aus Blut und Gewebe reinigt und beseitigt. Dazu gehört die Heilung der Nieren und der Ausgleich hormoneller Funktionen. Silber eignet sich auch hervorragend zum Schutz und zur Erdung.

Grau, eine Farbe, die mit Silber verwandt ist, ist die Farbe, die am meisten mit Traurigkeit verbunden ist. Es repräsentiert negative Gedanken, Stress und Depressionen. Der Quarz, der Grau darstellt, ist Hämatit. Grau kann ideal für Menschen sein, die übermäßig erregbar sind oder verstreut sind, um sich selbst zu erden.

Sie können die Farbe Grau oder Silber verwenden, um Stärke zu haben, wenn Sie mit herausfordernden Situationen konfrontiert werden, die Sie denken lassen, dass Sie keine Hoffnung haben. Silber ist die Farbe des Mondes, die sich ständig verändert.

Es hängt mit den sensiblen Aspekten und dem Geist zusammen. Silber gleicht aus, harmonisiert und ist eine Farbe, die hilft, innerlich zu reinigen. Diese Farbe ist mit der Nacht und ihren Zauberer Eigenschaften verbunden.

Die silberne Farbe ist kalt, nahe an Weiß, Blau und Grau, die kalten Farben. Schnee hat silberne Blitze, aus diesem Grund wurde diese Farbe als Winter klassifiziert. However, we put food in aluminum containers because the silver color also reflects heat.

Silber ist ein Synonym für Eleganz und Luxus. In der östlichen Philosophie werden Spiegel und Silberfiguren für Rituale im Zusammenhang mit der Fruchtbarkeit verwendet.

Waage

Rosa.

Eine stärkende, liebevolle, zärtliche und großzügige Farbe. Es bezieht sich auf das Weibliche und Naivität. Es ist eine authentische und fröhliche Farbe, und es ist das Feuer bedingungsloser Liebe, das dein Herz öffnet.

Diese Farbe hilft Ihnen, sich von emotionalen Herausforderungen zu befreien und gibt Ihnen Seelenfrieden. Pink hilft Ihnen bei Schlaflosigkeit und manifestiert Ihre Träume.

Rosa ist die Farbe der Romantik, der tiefen Liebe und hat die Kraft, gesunde Beziehungen in Ihr Leben zu ziehen. Wenn Sie ein geringes Selbstwertgefühl haben, traurig sind und viele Sorgen haben, die Ihnen Stress verursachen, ist rosa eine Farbe, die Ihnen helfen wird, zu heilen.

Rosa ist die Darstellung des Optimismus, der Wahl zu wissen, dass es immer ein Licht am Ende des Tunnels gibt, in Bewegung zu bleiben und niemals zu verfallen, das heißt, bis zum Ende durchzuhalten.

Magenta *ist die Farbe der tiefsten inneren Weisheit, die Wahrheit, Klarheit und Glauben inspiriert. Auch bekannt als Fuchsia, Magenta* ist der Farbton, den wir zwischen lila-Rot und lila finden. Es wird normalerweise mit violetten Tönen gemischt, aber Magenta konzentriert sich auf Rottöne, die ihm einen rosigeren Ton verleihen als violette Töne.

Magenta weckt Ihre Bewunderung für das Leben und verbindet Sie mit dem höheren Bewusstseinszustand, da es Strahlen der Begeisterung und Vitalität ausstrahlt.

Es gehört zur Reihe der warmen Farben; Daher ist es als freundlicher Farbton zertifiziert, der alle willkommen heißt, die ihn in ihr Leben einbeziehen möchten.

Es gilt als schützend, da es seine Träger unter einer schützenden Aura schützen kann. Es besitzt eine so starke stimulierende Wirkung, dass es die Person zu einem so hohen Zustand der Fülle wie dem Tod führen kann. Es ist bekannt als die Farbe der Reinkarnation.

Es ist mit Liebe und Schönheit verbunden, es ist eine therapeutische Farbe, denn allein durch Beobachtung könnte es Gefühle von Wut, Erhöhung und Frustration beseitigen.

Skorpion

Weiß.

Es ist die Farbe der Ehrlichkeit, Naivität und des Schutzes. Es gibt uns ein Gefühl der Unabhängigkeit und außergewöhnlicher Möglichkeiten. Weiß beseitigt das Negative und bringt Mut, Vergebung und Konformität. Diese Farbe heilt den Körper, zerstört die Toxizität und lindert mit Reinigung.

Weiß verbessert die geistige Klarheit und das Verständnis und ist äußerst hilfreich bei der Heilung von Hautproblemen. Weiß bringt Frieden und Komfort auf die höchste Ebene und steht für Licht, Wahrheit und totale Hingabe.

Die Perle oder Perle ist ein besonderer Weißton, der den Glauben beruhigt, reinigt und fördert. Es erlaubt dir, mit dem Leben zu fließen und dich mit deiner göttlichen Natur zu verbinden. Es ist die Farbe der Ehrlichkeit, Wahrheit und des Adels, es bringt Klarheit, Frieden und Harmonie in Ihr Leben.

Weiß enthält das gesamte Lichtspektrum und kombiniert alle Farben zu einer. Es repräsentiert solide und positive Liebe. Weiß ist bekannt als eine Farbe der Reinheit und Sauberkeit, die Unschuld und ein neues Leben symbolisiert.

Diese Farbe ist gleichbedeutend mit Geduld und Reinheit. Es ist die stärkste aller Farbschwingungen, da es die reinste Form des Lichts ist. Es enthält alle Farben, mit all ihren Aspekten und Qualitäten.

Es ist eine Farbe, die dir hilft, alle spirituellen Wahrheiten zu akzeptieren und sie auf dein Leben anzuwenden, da es eine Expertenfarbe ist.

Weiß reinigt und vertreibt Disharmonie oder Schäden. Das schafft Immunität gegen Selbstzweifel. Es ist eine sehr stabilisierende Farbe, und alle Unzulänglichkeiten verschwinden in der weißen Farbe,

Es ist eine Farbe, die Gesundheit, Integrität und Vollendung bedeutet, aus diesem Grund sind viele Gesundheits- und spirituelle Institutionen in Weiß gekleidet. Es heilt Krankheiten und Wunden auf allen Ebenen der Existenz,

Der Quarz, der verwendet wird, um die Qualitäten von Weiß darzustellen, ist transparenter Quarzkristall.

Schütze

Karmelit oder braun.

   Braun, die Farbe der Erde, ist eine Erdungsfarbe. Es ist ein direkter Kanal zur Natur, Tierweisheit und universeller Weisheit, der gesunde Grenzen schafft und eine ausgewogene Perspektive erreicht.

   Diese Farbe hängt mit dem Gefühl der Zugehörigkeit zusammen, da sie uns an unsere Wurzeln erinnert. Es hilft uns, unseren Zweck zu setzen und uns auf unsere Ziele zu konzentrieren.

   Bronze *zieht Stärke, Wissen und Liebe an und hilft Ihnen, Publicity zu bekommen, Reichtum in Ihr Leben und die richtigen Leute in Ihr Unternehmen zu bringen. Es begünstigt auch erfolgreiche Verhandlungen und trainiert Menschen, ihren Instinkten zu vertrauen. Sie sollten die Farbe Bronze verwenden, um destruktive sentimentale Muster zu durchbrechen, sich von Ängsten und Ängsten zu befreien und giftige Gedanken aus Ihrem Körper zu eliminieren.*

Schokolade ist eine Mischung aus Braun und Schwarz, die uns an die Erde bindet und gesunde Grenzen und eine ermutigende Struktur bietet.

Braun ist die Farbe der Stabilität und des Vertrauens kann verwendet werden, um die Konzentration zu verbessern. Diese Farbe behält eine konstante Energie bei und ist die Farbe der Ausdauer.

Der Quarz, der mit braunen Qualitäten verbunden ist, ist Tigerauge. Braun ist eine weit verbreitete Farbe in der Heilung, da es bei emotionalen und psychischen Erkrankungen wirksam ist.

Steinbock

Dorado.

Gold ist mit Erfolg, Wohlstand und Macht verbunden. Gold wurde schon immer geschätzt. In der Antike wurden Götter als Gold bezeichnet. Gold bringt Klarheit bei Entscheidungen, zieht Fülle an, erweitert das Bewusstsein und ebnet den Weg zu Wissen und Frieden.

Es repräsentiert die Schönheit der Seele, bietet Ermutigung, Toleranz, Trost, Wärme, Offenheit und Erleuchtung. Diese Farbe hilft bei der Kommunikation. und Toleranz. Er ist auch enthusiastisch und gibt warmherzige Gefühle. Es ist eine Darstellung von Fülle und guter Gesundheit.

Der Quarz, der Gold darstellt, ist Citrin. In der Aura bedeutet Gold Stärke. Goldene Farbtöne sind gesund für den emotionalen und mentalen Körper. Gold ist die wertvollste Farbe zur Stärkung des Immunsystems.

Es ist wirksam, um heilende Energien zu wecken und Begeisterung zu wecken. In der Meditation wird Gold oft kurz vor einer höheren Erfahrung gesehen.

Wassermann

Schwarz.

Schwarz ist elegant, stark und tief. Wir nennen es Farbe, aber es entsteht durch die Abwesenheit von Licht und damit Farbe. Schwarz absorbiert Licht, strahlt es aber nicht ab. Es ist eine Farbe des Schutzes, eine Öffnung des Eintritts zu neuen Erfahrungen, ein Test der Macht und Entschlossenheit.

Schwarz verdünnt das Alte, so dass Sie das Neue begrüßen können. Schwarz wird mit dem Bösen assoziiert und symbolisiert Macht, Tod, Formalität und das Geheimnisvolle. Es wird verwendet, um negative Gefühle zu verbannen. Schwarz ist die Farbe der Trauer. Die Ägypter glaubten, dass schwarze Katzen spirituelle Kräfte hätten.

Schwarzer Turmalin und Onyx sind die Quarze, die die Qualitäten der Farbe Schwarz repräsentieren. Im therapeutischen Bereich stellt Schwarz einen gescheiterten Ehrgeiz dar.

Diese Farbe sollte mäßig verwendet werden, da sie im Übermaß Depressionen verursachen und jeden emotionalen oder mentalen Zustand verschlimmern kann. Schwarz ist effektiver, wenn es mit Weiß verwendet wird, da es die Polaritäten eines Individuums ausgleicht und Stabilität bietet. Es ist ratsam, es immer mit einer anderen Farbe zu verwenden.

Die Farbe Schwarz symbolisiert energische und autokratische Figuren, meist symbolisiert durch ein männliches Bild, aber auch Frauen tragen Schwarz mit Unterscheidung und Leidenschaft.

Schwarz drückt Eleganz und Prestige für seine Diskretion aus, die eine spürbare und prestigeträchtige Präsenz vermittelt, indem sie das Interesse anderer auf die eigene Person konzentriert. Schwarz stilisiert die Figur, die einen interessanten Charme ausübt.

Fische

Lila oder Violett.

Die Farbe Violett ist mit Spiritualität und dem Heiligen verbunden. Er ist zärtlich, verständnisvoll und intuitiv. Es stärkt die Vorstellungskraft, fördert das Sehen, das Hören und füllt den Geruchssinn auf. Diese Farbe beseitigt psychische Probleme, Negativität und wird auch bei der Behandlung von Rheuma und Arthritis verwendet.

Violet regeneriert Ihr Nervensystem und heilt Schlaflosigkeit, psychische Störungen, körperliche Erkrankungen und Verletzungen, die Augen und Gehirn betreffen. Es ist besonders wirksam bei der Behandlung von Epilepsie, dem Ausgleich von Energien und der Programmierung des Zellsystems unseres Körpers.

Sie können es verwenden, um Ihre Intuition und Kreativität zu aktivieren und Ihre psychischen Sinne zu erweitern, so dass Sie Botschaften empfangen und Karma loslassen können.

Violett ist die Farbe des Kronenchakras und vereint die physische Realität mit der spirituellen Realität und gibt der Person Vertrauen in ihre Fähigkeiten, ihre Ziele und ihren spirituellen und materiellen Wohlstand zu erreichen. Der Quarz, der mit dieser Farbe verwandt ist, ist Amethyst.

Indigo, einer der Violetttöne, hilft bei jedem Zustand, der Kopf, Augen, Ohren oder Nase schädigt. Es wird auch bei der Behandlung von psychischen und emotionalen Störungen eingesetzt. Sie können es für Probleme mit Schlaflosigkeit und Stress kanalisieren. Es ist eine entspannende Farbe beim Meditieren, um Tiefe und Intuition zu gewinnen. Im Übermaß kann dieser indigofarbene Farbton Depressionen verursachen.

Die Pflaumenfarbe ist auch ein violetter Farbton. Eine Farbe der Hingabe, Hingabe und Verantwortung, die dich mit deinem Herzen und Lebenszweck verbindet. Pflaume ist eine Farbe von unglaublicher Stärke.

Flieder ist auch ein Violettton. Stärken Sie Ihren Glauben, aktivieren Sie Ihre Intuition und steigern Sie Ihre psychischen Fähigkeiten. Es ist eine sanfte Farbe, die dich ermutigt, dein Bewusstsein zu erweitern und deine Verbindung mit dem Göttlichen zu verbessern.

Lavendel ist eine subtile Farbe, die Ihre intuitiven Fähigkeiten schärft. Diese Farbe fördert den Seelenfrieden und ist nützlich, um einen ruhigen und meditativen Zustand zu reflektieren und heraufzubeschwören.

Lucky Amulette von Zodiac Sign.

Diese Glücksamulette können Ihnen helfen, ein Jahr 2023 voller Segnungen zu Hause, bei der Arbeit, mit Ihrer Familie zu haben, Geld und Gesundheit anzuziehen. Damit die Amulette richtig funktionieren, sollten Sie sie niemandem leihen, und Sie sollten sie immer zur Hand haben.

Widder

Ein Frosch.

Ein Amulett, das dir Frieden, materiellen Wohlstand und spirituelle Fülle bringen wird.

In der Antike waren Frösche für die Römer und Ägypter ein Symbol des Schutzes, und sie verwendeten Figuren dieses Tieres als Talisman.

Im alten Ägypten repräsentierten Froschamulette Reinkarnation und materiellen Überfluss; Es war ein Symbol ihrer Göttinnen, und sie sind speziell mit den Reinkarnationsritualen von Osiris, dem wichtigsten Gott des ägyptischen Pantheons, verbunden.

Die Mayas respektierten Frösche sehr, für sie bedeuteten sie Glück, und die Japaner behielten sie in ihren Geldbörsen, damit das Geld, das geht, immer zurückkehrt. In der Kunst des Feng-Shui symbolisiert der Frosch Fülle und positive Kräfte auf allen Ebenen.

Stier

Ein Anker.

Dieses Amulett bringt Ihnen Festigkeit und Stabilität, was auch seine Funktion ist.

Anker bedeuten Ruhe und Sicherheit und bringen Ruhe und Schutz.

Das Gleichgewicht, das Sie brauchen, um in der Lage zu sein, jede Situation zu analysieren und vorwärtszugehen, um in Harmonie in Körper, Geist und Seele zu leben, wird durch den Anker bereitgestellt.

Der Anker wird dir helfen, ruhig zu sein, so dass niemand deine Fundamente erschüttern oder dir wegnehmen kann, was du bereits erobert hast. Es wird dich schützen und du wirst die richtigen Momente kennen, um innezuhalten, du wirst dich sicher, frei und ausgeglichen fühlen.

Zwillinge

Ein Herz.

Das Symbol des Herzens steht für die Liebe. Dieses Amulett schützt vor schwarzer Magie. Es wird Ihnen Stabilität und Gleichgewicht geben.

Es wurde im alten Ägypten und in Griechenland verwendet, um negative Energien zu reinigen und umzuwandeln. Alchemisten verwendeten herzförmige Symbole für Zaubersprüche, die sich auf Liebe und Romantik bezogen.

Krebs

Eine Schildkröte.

Es gab mehrere Kräfte, die der Schildkröte zugeschrieben wurden, aber im Allgemeinen konzentrieren sie sich alle auf denselben Punkt: die Fähigkeit, dass dieses Tier seinen eigenen Weg verfolgen muss, ohne beeinflusst zu werden.

Es wurde immer mit der Kraft der Beharrlichkeit und Sicherheit in Verbindung gebracht, da es immer seine Hülle trägt, um sich darin zu schützen, wenn es eine Gefahr erkennt.

Ruhe ist eine weitere der Kräfte, die dem Schildkrötenamulett zugeschrieben werden, da es in seinem eigenen Tempo lebt und geht. Darüber hinaus hängt es mit Geduld zusammen, weil sie ihrem Weg folgt und bekommt, was sie will. Das heißt, es geht langsam, aber sicher.

Zusätzlich zu den allgemeinen Kräften, die der Schildkröte zugeschrieben wurden, wurde dieses Tier in den prophetischen Künsten eingesetzt. Aus diesem Grund ist die Macht, die Zukunft vorherzusagen, miteinander verbunden.

Löwe

Ägyptischer Käfer

Eines der wichtigsten Symbole für die Ägypter, ein Tier mit einer unvorstellbaren Geschichte. In der ägyptischen Kultur hatte dieses Tier eine große Präsenz an Orten, die für sie bekannt waren. Es war Standard, die Figur eines Käfers in Halsketten, Ringen und Dekorationen zu finden.

Der ägyptische Käfer war immer mit positiven Dingen verbunden, das bedeutendste war das ewige Leben. Das Tragen eines Käfer-Amuletts könnte Ihnen dieses Glück bringen.

Holen Sie sich ein Amulett von diesem Tier, Sie werden es nicht bereuen. Der ägyptische Käfer wird von vielen Menschen als Amulett verwendet, die behaupten, er sei ein Mentor des kosmischen Universums und zeigt uns die Komponenten der schöpferischen Kräfte, ist das Emblem der Ewigkeit und zeigt den Weg der Wahrheit.

Der ägyptische Käfer ist nützlich bei Dilemmata, Zweifeln und wird Ihnen helfen, die richtigen Entscheidungen zu treffen und Ihnen die Möglichkeit neuer Wege zu geben.

Es besitzt mystische Kräfte und wird sie bei Menschen, die dieses Amulett tragen, stärken oder entwickeln.

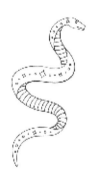

Jungfrau.
Eine Schlange.

Ein umstrittenes Symbol, aber mächtig. In der Antike glaubten sie, dass diese Tiere persönliche Wächter waren, um sich um die Pflanzen zu kümmern und die Haut ohne Probleme zu verändern.

Das Schlangenamulett ist ein Symbol für Unsterblichkeit und Leben. Es bringt Langlebigkeit und schafft einen unzerstörbaren Erfahrungszustand in den Menschen. Es hilft uns, den Weg zu finden und die Gründe, die uns aktiv halten. Eine weitere Eigenschaft des Schlangenamuletts ist Weisheit. Es ist ein Element, das sich mit dem menschlichen Gehirn verbindet und es entwickelt, wodurch eine direkte Verbindung zwischen der inneren und äußeren Welt hergestellt wird.

Waage.
Eine Pyramide.

Die Pyramiden sind Amulette, die helfen, das Gleichgewicht zu halten, da die Abweichungen der Menschen durch die Pyramiden reguliert werden.

Es hilft Ihnen, mit den Füßen auf dem Boden zu bleiben und Exzesse zu vermeiden. Schaffen Sie ein Gleichgewicht zwischen Vernunft und Emotionen, um es Ihnen unmöglich zu machen, Fehler zu machen, indem Sie sich von Ihren Sinnen mitreißen lassen. Die Pyramiden optimieren die berufliche Situation, und wenn Sie sie am Hals hängend tragen, erhalten Sie eine höhere Produktivität bei Ihrer Arbeit.

Das Pyramiden-Amulett verringert die Ursachen, die Depressionen, Schlaflosigkeit oder Albträume verursachen. Die Pyramiden könnten Emotionen ausgleichen und die Weisheit verbessern.

Sie sind besonders nützlich bei der Prüfungszeit, der Präsentation von Verträgen und dem Vorstellungsgespräch.

Pyramiden können Wunden und Beschwerden schnell heilen, Ihnen helfen, Süchte zu brechen und Rückschritte aus vergangenen Leben mit Leichtigkeit zu machen.

Skorpion
Ein Elefant.

Als eines der am meisten geschätzten Amulette wird es für seine Größe und Positivität bewundert. In alten Zivilisationen wurde ein Amulett zu Ehren dieses Tieres hergestellt, um von seinen Qualitäten zu profitieren.

Es symbolisiert gute Schwingungen, aber um effektiv zu sein, muss der Stamm nach oben gebogen sein. Wenn es die Reißzähne zeigt, ist es ein Symbol der Macht.

Wenn du es benutzt, kannst du Neid und schlechte Energien aus deinem Leben entfernen. Es ist ein Bild, das in der esoterischen Welt weit verbreitet ist und mit guten Schwingungen aufgeladen ist. Es steht für Wohlstand, Fruchtbarkeit und Glück. Der Elefant wird Ihnen helfen, die Spitze im beruflichen und persönlichen Bereich zu erreichen.

Sie werden in der Lage sein, Ihre Ziele zu erreichen und Ihre Ideen erfolgreich umzusetzen.

Schütze

Schere.

Sie sind in der Esoterik als Amulett weit verbreitet. Die Menschen tragen sie hängend am Hals, weil ihre Hauptfunktion darin besteht, negative Energien zu schneiden, Unglück und Neid zu vertreiben. Sie sind auch wertvoll, um den bösen Blick zu schneiden,

Wohlstand ist eine weitere Fähigkeit der Schere als Amulette. Sie ermöglichen es uns auch, unsere Lebensjahre zu verlängern und jede Gefahr zu beseitigen, die uns lauert. Abgesehen davon, dass sie uns Glück bringt, bietet eine Schere als Amulett ein hohes Maß an Sicherheit.

Steinbock

Eine Skala.

Die Waage gilt als mächtiges Element, das von den Göttern verwendet wird, um Handlungen zu beurteilen und auszuführen. Die Waage ist ein Objekt, das in Ritualen verwendet wird, um Gleichgewicht *zu erreichen; In Zaubersprüchen, in denen wir um Harmonie in der Familie bitten oder um Ruhe, um in unsere Familie zu kommen.*

Die Waage wird seit der Antike als Amulett verwendet, und in der esoterischen Welt wird ihr zugeschrieben, Unternehmern und Geschäftsleuten und denen, die eine Liebesbeziehung beginnen, Glück gebracht zu haben.

Das Tragen einer Waage in jeder Form, jedem Anhänger oder Armband zieht Glück an und bietet Schutz. Das Gleichgewicht ist ein Amulett der Verteidigung gegen negative Wesenheiten und begünstigt Gerechtigkeit, und dass die Person, die es trägt, ein gerechtes Leben hat. Das Tragen einer Waage als Amulett oder Talisman zieht das Positive, das Ausgeglichene an.

Wassermann

Eine Eule.

Die Eule war schon immer mit Glück verbunden. Ein Amulett einer Eule ist etwas Wertvolles, es wird Ihnen Glück in den Projekten bringen, die Sie beginnen.

Die Eule ist ein patrimonialer Vogel, der mit Weisheit und Intuition zusammenhängt, der ein Amulett einer Eule trägt, um seine Fähigkeiten im Geschäft zu verbessern.

Der finanzielle Aspekt wird am meisten mit Eulen in Verbindung gebracht. Wenn Sie verhandeln, ist es am besten, ein Amulett einer Eule zu tragen, damit Sie Glück haben.

Eulen repräsentieren Weisheit, und wenn Sie eine Prüfung haben, ist es ratsam, dieses Amulett mitzunehmen. Eulen vertreiben Inkompetenz und das lässt Sie eine bessere Bewertung erhalten. Der Anblick der Eule ist unglaublich, und dort vermittelt er seine Weisheit und Intuition und schützt vor bösen Augen.

Fische

Die Muschel

Einer der Glücksbringer, die wir seit den Ursprüngen der Welt verwenden. Dieses Amulett hat die Kraft des Superschutzes.

Es ist eines der häufigsten Amulette, da wir unzählige Muscheln an den Stränden finden können, aus diesem Grund ist es üblich, sie in vielen Häusern zu finden. Einige ziehen es vor, dieses Amulett zu tätowieren, und Schutz ist der Hauptzweck für die Schale, die in der Natur gemacht wurde, um kleine Meeresorganismen zu erhalten.

Muscheln haben starke Schutzenergien, und verschiedene Kulturen verwenden Muscheln in der Folklore, um das Haus zu schützen.

Muschelhalsbänder können von Kindern verwendet werden, um sie vor Gefahren zu schützen. Wenn Sie eine kleine Schale auf die Halsbänder Ihrer Haustiere legen, bleiben sie sicher, wenn sie Ihr Zuhause verlassen.

Die Kerzen

Seit der Antike werden Kerzen nicht nur zum Dekorieren, sondern auch in den Ritualen der Magie und Zauberei verwendet. Dies liegt an der transformativen Kraft, die dem Feuer schon immer verliehen wurde. Kerzen sind Symbole für Energie, Schutz und Macht.

Die Formen von Kerzen und ihre Farben haben unterschiedliche Funktionen. Es ist wichtig, dass Sie daran denken, dass Sie die Kerzen niemals ausblasen sollten, indem Sie sie ausblasen, da dies den Zauber oder das Ritual widerrufen würde.

Interpretation der Kerzen

Das Dolmetschen von Kerzen gibt Ihnen immer die Möglichkeit zu wissen, wie Ihr Ritual funktioniert.

Die Ergebnisse können wie folgt aussehen:

- Bildung einer Gruppe von Rissen an den Seiten, dieses Ergebnis ist gut.

- *Bildung von spitzen Formen seitlich, es gibt entgegengesetzte Energien zu Ihren Interessen.*

- *Bildung von Figuren, wie Trauben, dies sagt Gesundheit und Wohlstand voraus.*

- *Fallende Fragmente des gesamten mondförmigen Segels und die Spitzen des Mondes neigen sich nach links, dies deutet darauf hin, dass Sie Ihr Ziel ohne Probleme erreichen können. Wenn die Spitzen der Figur nach rechts kippen, sagt dies die Existenz von etwas voraus, das das Ritual behindert.*

- *Wenn die Überreste der Kerzen Quadrate bilden, werden die Schwierigkeiten gelöst, Sie haben bedingungslose Unterstützung und Ihr Zauber wird funktionieren.*

Farben der Flamme einer Kerze

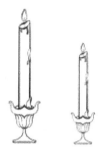

Die Flamme einer Kerze ist nicht immer gleich, aus diesem Grund hat sie unterschiedliche Bedeutungen.

- **Bläuliche Flamme**, *bedeutet, dass die Person, die am Ritual beteiligt ist, unsere Botschaft empfängt.*

- **Gelbe Flamme**, *Energiemangel, Sie müssen die Kerze wechseln.*

- **Rote Flamme**, *schnelle Ergebnisse.*

- **Weiße Flamme**, *deine Geistführer oder Schutzengel, helfen dir bei diesem Ritual.*

- **Flammen, die funken,** *das Ritual ist falsch oder etwas wird schief gehen.*

Kerzenfarben für Rituale

Die Farbe der Kerze, die wir in unseren Ritualen verwenden werden, ist wichtig. Alle Farben haben Vibration; Daher beeinflussen sie einen bestimmten Bereich unseres Lebens.

Es ist wichtig zu wissen, was Sie in Ihrem Leben verwandeln möchten oder welche Art von Ritual Sie durchführen werden, damit Sie eine Kerze richtig auswählen, die damit übereinstimmt.

Gelb: Von Natur aus ist es die Farbe der Intelligenz. Eine gelbe Kerze wird verwendet, um die Kräfte des Geistes zu stimulieren. In Ritualen, deren Zweck es ist, jemandem oder etwas Freude zu vermitteln. Es ist die Farbe der Sonne, Vitalität und der Wunsch zu leben. Es ist eine Kerze, die in Situationen der Traurigkeit verwendet wird. Es wird verwendet, um launische Verhaltensweisen zu versüßen. Für Rituale im Zusammenhang mit Arbeit, Studium und Liebe.

Orange: Enthält die Energie von Rot und Gelb. Es ist ideal, um Harmonie, Geld und Freude anzuziehen. Es hilft uns, Entscheidungen zu treffen. Orange hat eine dynamische Energie, so dass es besonders nützlich sein wird, jedes Ritual zu verbessern, das wir durchführen.

Blau: Es ist spektakulär, Spannungen, Konflikte oder schwierige Situationen zwischen Menschen zu zerstreuen. Um sich mit der spirituellen Welt zu verbinden, für Rituale der Liebe und Arbeit.

Ich weiß und Gold: Sie sind vorteilhaft, um positive Energien anzuziehen. Sie ersetzen die anderen Kerzen, insbesondere die weiße, indem sie alle Farben enthalten. Die meisten Rituale können ausschließlich mit weißen Kerzen durchgeführt werden.

Rot: *Sie werden am häufigsten in Liebeszaubern verwendet, da sie die Farbe des Blutes und des Herzens darstellen, obwohl sie in Zaubersprüchen dienen, die sich auf Gesundheit und körperliche Stärke beziehen. Sie dienen als Channel, um jede Energie zu aktivieren, die stagniert.*

Rosa: *Seine Schwingung ist höher als Rot, weil es mit Weiß gemischt ist. Sie stehen für pure Liebe und Romantik. Es ist die Farbe des Mitgefühls und der Empathie.*

Grün: *Farbe der Fruchtbarkeit. Es zieht Gleichgewicht für Körper, Geist und Seele. Es ist eine Farbe, die mit Gesundheit verbunden ist; Es kann verwendet werden, um Krankheitssituationen zu lösen. Besonders nützlich bei Ritualen oder Zeremonien, die sich auf Finanzen oder Wohlstand beziehen.*

Lila und Lila: *Es ist das Ergebnis der Mischung von Rot und Blau. Für Rituale, die mit Finanzen und Erfolg zu tun haben.*

Silber und Grau: *Sie sind neutrale Farben; sie sind zwischen Schwarz und Weiß. Sie werden verwendet, um etwas Böses zu neutralisieren. Die silbernen Kerzen beziehen sich auf die Energie der Nacht und des Mondes, aus diesem Grund werden sie in Ritualen oder Nachtzeremonien verwendet, weil sie mit dieser Energie verbunden sind.*

Braun: Diese Farbe hängt mit dem Boden zusammen, besonders wenn er noch nicht gepflanzt wurde. Wir müssen vorsichtig sein, wenn wir es verwenden, weil es Unsicherheit hervorrufen kann. Wenn Sie also verwendet werden, müssen Sie sehr genau angeben, was Sie wollen, damit wir keine Effekte erzielen, die der Anforderung widersprechen. Es wird in Geschäftsritualen verwendet.

Schwarz: *Es wird in Nekromantie-Riten verwendet und um negative Entitäten zu beschwören. Sie helfen, Hindernisse aufzulösen. Es kommt der lässigen Liebe zugute. Sie haben einen melancholischen Einfluss und deshalb müssen Sie unglaublich vorsichtig mit ihrer Verwendung sein. Sie helfen, karmische Schulden zu lösen und Zauberei und schwarzmagische Werke loszuwerden.*

Weihe der Kerzen

In magischen Ritualen ist es wichtig, die Kerzen mit Ölen zu weihen, um mehr Energien anzuziehen, diese Salbung ist ein grundlegender Teil des Prozesses. Während der Weihe sollten Sie sich auf den Zweck des Rituals konzentrieren, und es ist ratsam, es am entsprechenden Tag aus astrologischer Sicht zu tun.

Die Verfahren sind wie folgt:

Mit den Fingern Ihrer rechten Hand schmieren Sie ein paar Tropfen Öl auf die Kerze, von der Mitte bis zum Docht, und versuchen, sie feucht zu machen. Dann wiederholen Sie die gleiche Aktion, aber von der Mitte bis zur Basis der Kerze.

Die andere Form der Weihe besteht darin, das Öl von unten nach oben durch die Kerze zu verteilen. Diese Art der Salbung ist exklusiv für die Rituale, etwas zu brechen. Das dritte und letzte Modell der Weihe besteht darin, die Kerze, die wir in unserem Ritual verwenden werden, von oben nach unten zu salben. Diese Art der Weihe ist exklusiv für jene Kerzen, die für Rituale der Anziehung bestimmt sind.

Glücksquarz für jedes Sternzeichen im Jahr 2023

Wir alle fühlen uns von Diamanten, Rubinen, Smaragden und Saphiren angezogen, offensichtlich sind es Edelsteine. Halbedelsteine wie Karneol, Tigerauge, weißer Quarz und Lapislazuli werden ebenfalls sehr geschätzt, da sie seit Tausenden von Jahren als Ornamente und Symbole der Macht verwendet werden. Was viele nicht wissen, ist, dass sie für mehr als ihre Schönheit geschätzt wurden: Jeder hatte eine heilige Bedeutung, und ihre heilenden Eigenschaften waren genauso wichtig wie ihr dekorativer Wert. Kristalle haben auch heute noch die gleichen Eigenschaften, die meisten Menschen kennen die beliebtesten wie Amethyst, Malachit und Obsidian, aber es gibt derzeit neue Kristalle wie Larimar, Petalit und Phenakit, die bekannt geworden sind.

Ein Kristall ist ein fester Körper mit einer geometrisch regelmäßigen Form, Kristalle wurden bei der Erschaffung der Erde gebildet und haben sich weiter verwandelt, als sich der Planet verändert hat, Kristalle sind die DNA der Erde, sie sind Miniaturspeicher, die die Entwicklung unseres Planeten über Millionen von Jahren enthalten. Einige waren einem enormen Druck ausgesetzt, andere wuchsen in tief unter der Erde vergrabenen Kammern auf, andere tropften ins Dasein. Welche Form sie auch haben, ihre Kristallstruktur kann Energie absorbieren, konservieren, fokussieren und abgeben. Das Herzstück des Kristalls ist das Atom, seine Elektronen und Protonen. Das Atom ist dynamisch und besteht aus einer Reihe von Teilchen, die sich in ständiger Bewegung um das Zentrum drehen, so dass, obwohl der Kristall bewegungslos erscheinen kann, es sich um eine lebende Molekülmasse handelt, die mit einer bestimmten Frequenz schwingt, und dies gibt dem Kristall die Energie.

Die Edelsteine waren früher ein königliches und priesterliches Vorrecht, die Priester des Judentums trugen eine Plakette auf der Brust voller Edelsteine, die viel mehr war als ein Emblem, um ihre Funktion zu bezeichnen, weil sie Macht auf diejenigen übertrug, die sie benutzten. Die Menschen haben Steine seit der Steinzeit verwendet, da sie eine Schutzfunktion hatten, um ihre Träger vor verschiedenen Übeln zu *schützen. Die aktuellen Kristalle haben die gleiche Kraft, und wir können unseren Schmuck nicht nur nach ihrer äußeren Attraktivität auswählen, sie in unserer Nähe zu haben, kann unsere Energie steigern (orangefarbener Karneol), den Raum um uns herum reinigen (Bernstein) oder Reichtum anziehen (Citrin).*

Bestimmte Kristalle wie Rauchquarz und schwarzer Turmalin könnten Negativität absorbieren, reine und saubere Energie emittieren. Die Verwendung eines schwarzen Turmalins um den Hals schützt vor elektromagnetischen Emanationen, einschließlich der von Mobiltelefonen, ein Citrin wird nicht nur Reichtümer anziehen, sondern Ihnen auch helfen, sie zu behalten, ihn in den Teil des Reichtums in Ihrem Haus zu legen (der linke hintere am weitesten von der Haustür entfernt). Wenn Sie nach Liebe suchen, können Kristalle Ihnen helfen, platzieren Sie einen Rosenquarz in der Ecke der Beziehungen in Ihrem Haus (die rechte hintere Ecke am weitesten von der Haustür entfernt), seine Wirkung ist so stark, dass es bequem ist, einen Amethyst hinzuzufügen, um die Anziehungskraft zu kompensieren. Sie können auch Rhodochrosit verwenden, Liebe wird sich auf Ihrem Weg präsentieren.

Kristalle können heilen und Gleichgewicht geben, einige Kristalle enthalten Mineralien, die für ihre therapeutischen Eigenschaften bekannt sind, Malachit hat eine hohe Kupferkonzentration, das Tragen eines Malachitarmbands ermöglicht es dem Körper, minimale Mengen an Kupfer aufzunehmen. Lapislazuli lindert Migräne, aber wenn die Kopfschmerzen durch Stress verursacht werden, werden Amethyst, Bernstein oder Türkis über den Augenbrauen gelindert.

Quarz und Mineralien sind Juwelen von Mutter Erde, geben Sie sich die Gelegenheit und verbinden Sie sich mit der Magie, die sie ausstrahlen.

Widder

Rauchquarz

Es ist ein göttliches Symbol auf dieser physischen Ebene. Dieser mystische Quarz wird Ihnen viel Licht geben. Es ist der Quarz der Medien, Spiritualisten und Alchemisten, da es alles Negative bricht. Es ist mit der psychischen Ebene verbunden, es ist das primitivste der Welt und es ist ein Orakel.

Es wird dich vor den widrigsten Energien wie Neid, Wut und destruktiven Gedanken schützen.

Es ist der effektivste Energieheiler auf dem Planeten, der Energie verdampft, erhöht, schützt und formt, und es ist ein Wunder, sie freizusetzen. Es wandelt Energie in den reinsten zugelassenen Zustand um.

Es ist gut für die Meditation und stimuliert das Gedächtnis. Auf einer heilenden Ebene ist es ein Therapeut und kann verwendet werden, um die Chakren auszugleichen. Es hilft in Zeiten der Gefahr und verstärkt die Lösung dieser. Psychologisch beruhigt die Angst und hilft Ihnen mit emotionalem Frieden. Er beschwichtigt Tragödien und verwandelt sie, wenn er auf negative Emotionen stößt.

Stier

Jade

Es wirkt als schützende Energie an dem Ort, an dem es ist. Es ist mit Stabilität und Sicherheit verbunden. Dieser Quarz ist vorteilhaft, um an einem bestimmten Ort zu haben, denn wenn wir ihn oben tragen, kann es zu Zwietracht mit unseren Freunden oder Kollegen kommen.

Es hilft dir, positiv zu denken, symbolisiert Frieden und Selbstbeobachtung. Dieser Quarz gibt Ihnen alle Kraft, die Sie brauchen, um voranzukommen. Es ist ein Stein, der Ihnen helfen wird, alle Emotionen loszulassen, die Sie blockieren und das Leben mit positiven Linsen zu sehen. Es hilft bei der ordnungsgemäßen Funktion der Nieren, des Herzens und des Magens.

*Es gibt mehrere Farben von Jade: **Jade Blau und Grün,** bedeutet Ruhe und Reflexion. **Braune Jade**, verwandt mit dem Erdelement und Produktivität. **Grüne Jade** beschleunigt das Nervensystem und bringt uns in einen Zustand des Friedens, in dem alle negativen Gefühle, die wir fühlen, beseitigt werden können. Orange Jade hilft beim emotionalen Management, **rote Jade,** um Spannungen zu kanalisieren und Probleme in Harmonie zu lösen. **White Jade** ist die perfekte Hilfe, um Entscheidungen zu treffen und zu wissen, welche Richtung perfekt ist.*

Gelbe Jade bringt uns Freude und hilft uns, mit anderen in Beziehung zu treten.

Zwillinge
Obsidian

Ein mächtiger Schutzquarz. Es konsolidiert die Energien und setzt dem Licht alle dunklen Aspekte eines Menschen aus. Es erhöht die Anziehungskraft des anderen Geschlechts, fördert den Frieden und verbessert Arthritis.

Es ist ein magischer und göttlicher Quarz. Bekannt unter dem Namen schwarzer Samt, ist es großartig gegen Unsicherheit und mentale Blockaden, da es negative Energie absorbiert.

Es wird dir die Fähigkeit geben, deine Zweifel und dunklen Gedanken wahrzunehmen, die Probleme, die du abgelehnt hast, werden unter Druck gesetzt, sie zu lösen, und du wirst es ruhig tun.

Mit diesem Stein kannst du allen Umständen mit Mut begegnen, er wird alle Arten von Negativität vertreiben und er wird als Spiegel fungieren, in dem sich deine eigenen Unsicherheiten widerspiegeln werden.

Krebs

Tigerauge

Es ist ein Gegenmittel gegen schlechte Energien. Reinigend, motiviert es Mut und Selbstvertrauen. Es kommt den Kommunikationsfähigkeiten zugute und hilft den Menschen in Studienzeiten. Schutz der Gesundheit von Kindern, schützt sie vor dem bösen Blick.

Es aktiviert die Gaben des Hellsehens und ist sehr vorteilhaft in Meditationspraktiken.

Es wird euch schützen, wenn ihr euch in einer Umgebung schlechter Schwingungen befindet, und euch die Kraft geben, in feindlichen Situationen oder Konflikten, in denen ihr Entscheidungen treffen müsst, das Gleichgewicht zu halten. Es kann Ihnen Sicherheit geben und ist eine große Hilfe bei der Gründung eines neuen Unternehmens. Tigerauge zieht Glück, Geld und Wohlstand an.

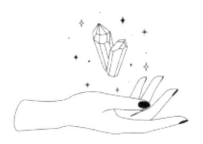

Löwe

Onyx

Ein schützender Quarz, der die Aura reinigt. Der Legende nach entstand dieser Stein, als Venus schlief und Amor ihre Nägel schnitt, so dass sie zu Boden fielen und diese Nägel in wunderbare Steine verwandelt wurden, die Onyx getauft wurden.

In Stressphasen hilft es, Entscheidungen mit Bedacht zu treffen und Ihre beruflichen Ziele zu erreichen, wenn Sie es als Amulett verwenden.

Es ist ein mächtiger Stein mit psychologischen Vorteilen, die es zu einer bewundernswerten Option machen, Menschen mit Angstzuständen zu unterstützen. Seine Eigenschaften werden dich mit deinen Geistführern verbinden, und du wirst in der Lage sein, alles klarer zu sehen.

Jungfrau

Fluorit

Es hilft bei mentalen Instabilitäten, Harmonie für die Person, die es benutzt, hilft bei Versöhnungen und ermöglicht es Ihnen, die Wahrheiten, die hinter den Masken verborgen sind, klar zu sehen. Es erleichtert auch das intellektuelle und emotionale Wohlbefinden. Es wird verwendet, um Erkältungen, Herpes und Geschwüre zu behandeln.

Es ist ein Stein mit Schutzfähigkeiten, grundsätzlich auf spiritueller Ebene. Es reinigt die Aura und stoppt die Manipulation.

Es zeichnet sich durch die Förderung intuitiver Fähigkeiten aus, macht Sie besser über höhere spirituelle Existenzen informiert und stimuliert das spirituelle Erwachen.

Waage
Zitrone

Ein supermagnetischer Quarz. Es wird Ihnen eine starke persönliche Ausstrahlung geben und Ihnen helfen, kreativ zu sein. Seine Schwingungen werden euch Energie, Fülle und wirtschaftlichen Wohlstand geben.

Wenn Sie den Wohlstand in Ihrem Leben erweitern wollen, müssen Sie Citrin irgendwo in Ihrem Haus oder Geschäft platzieren, wo Sie sich auf die Wirtschaftswelt beziehen. Ihre Energien werden die Chancen auf Ihren Erfolg erhöhen.

Es funktioniert als defensiver Talisman, der in der Lage ist, negative Energien zu neutralisieren und bietet Intuition, damit wir uns richtig schützen können. Projizieren Sie Freude und harmonische Gefühle für alle um Sie herum.

Es wird Ihnen helfen, Ihr Selbstwertgefühl allmählich zu verbessern und Ihre Identität zu finden. Es wird Ihr Wertesystem transformieren, so dass Sie sich motivierter fühlen können.

Skorpion
Weißer Quarz oder Bergkristall.

Ein Energieempfänger par excellence und Verstärker positiver Schwingungen auf allen Ebenen. Es hilft bei der geistigen Konzentration und verstärkt oder verstärkt den anderen Quarz. Es ist das therapeutisch am häufigsten verwendete.

Es symbolisiert Glück und wird manchmal verwendet, um eine Geburt zu ehren oder Frieden nach dem Tod anzubieten. Seine Hauptfunktion ist es, Gleichgewicht und Frieden zu schaffen, indem er Energien mobilisiert oder deaktiviert.

Es wird dir helfen, schlechten Zeiten, negativen Gedanken wie Schuldgefühlen oder emotionalen Problemen zu widerstehen. Es schützt Sie auch vor Ängsten und Ängsten. Seine heilenden Eigenschaften verbessern das Wissen und Betonen die geistige Beweglichkeit. Es hilft, sich schneller zu erinnern und zu lernen, da es das Wissen und die Hörfähigkeit erhöht.

Mit diesem Kristall werden Sie geduldig.

Schütze
Karneol

Positiver *Quarz für Menschen, die Konzentrationsschwierigkeiten haben, die geistig entfremdet oder kompliziert im Leben sind. Es gewährt Mut und Schutz. Es ist für melancholische Menschen indiziert.*

Es wird als Talisman in Häusern und Geschäften als Verteidigung gegen den bösen Blick und Neid verwendet. Es ist mit der Energie von Autorität und Leidenschaft verbunden. Deshalb empfiehlt es sich, beruflichen Erfolg zu erzielen, Zweifel zu zerstreuen und mentale Klarheit zu schaffen, wann eine berufliche Entscheidung getroffen werden muss.

Für diejenigen, die mit öffentlichen Reden zu kämpfen haben, hilft Karneol, den Mut zu haben, sich Hindernissen zu stellen. Es wird für diejenigen vorgeschlagen, die nervöse Probleme haben, da die Energieprojektion von Quarz hilft, Schlaf zu erreichen und ruhig zu sein, daher fördert körperliche und geistige Ruhe.

Steinbock

Rosenquarz

Erhöht das Selbstwertgefühl. Es wird bei Kindern verwendet, die Liebe brauchen, um ihre Energiezentren zu stabilisieren. Es wird verwendet, um Liebe anzuziehen und funktioniert als Instrument, um Ihre emotionale Seite mit Ihrer Herzfrequenz in Einklang zu bringen.

Es ist die notwendige Ergänzung auf Ihrer spirituellen Reise, ein Quarz mit einer außergewöhnlichen Kraft, die Ihnen Verbesserungen in Ihrer Gesundheit bringen kann. Dieser Quarz ist berühmt für seine Stärke und dafür, dass er einer der effektivsten Steine ist, wenn es um Heilung geht.

Es könnte negative Energien absorbieren und sie dank ihrer Schwingungen durch positives Ersetzen. Diese Energien sind dafür verantwortlich, dein Herzchakra zu öffnen.

Wassermann
Amethyst

Es ist ein Schutzstein, der auf der Ebene der Intuition wirkt, das dritte Auge entwickelt und Weisheitszustände stimuliert. Es könnte die Wut der Menschen beruhigen und ihre negativen Emotionen zerstören.

Es hebt das mentale Chaos auf und bringt Frieden, weshalb es verwendet wird, um das emotionale Gleichgewicht zu regenerieren. Es wird verwendet, um Stress und Angst zu reduzieren. Es kann auch helfen, Menschen mit den starken Emotionen zu betrauern, die während dieses Zyklus herauskommen.

Dieser Quarz beruhigt emotionale Stürme; In gefährlichen Szenarien kommt Ihnen Amethyst zu Hilfe. Es bietet Mut für diejenigen, die es tragen und ist ein effektiver Talisman für Touristen. Wenn Sie es benutzen, sind Sie vor Ausbeutern, Leid und Gefahr geschützt.

Da es sich um einen Geiststein handelt, wird er häufig während der Meditation oder auf Altären verwendet.

Fische
Achat

Ein Quarz mit großer Energiekraft. Es hilft, das Selbstwertgefühl zu steigern, wandelt negative Energien in positive um. Hilft emotionale, mentale und körperliche Stabilität. Es ist gut für Migräne, lindert alle Arten von körperlichen Beschwerden, wie Muskel-, Gelenk- und Knochenschmerzen.

Er ist bekannt als der Stein des Vertrauens. Es wird dir Reichtum und Fülle in allen Bereichen deines Lebens bringen. Es hilft, Kreativität und Sicherheit zu entwickeln. Ihm werden auch Befugnisse zugewiesen, um Flüchen auszuweichen.

Wenn Sie es unter Ihr Kopfkissen legen, werden Sie keine Schlafprobleme haben, Sie werden Schlaflosigkeit und Stress in der Nacht oder Ängste abwehren.

Es wird Ihnen eine berechnende Mentalität geben, als Amulett fungieren, damit die Dinge gut laufen, und Sie erhalten Fülle in kurzer Zeit. Um die schützenden Eigenschaften dieses Quarzes zu nutzen, müssen Sie ihn immer bei sich haben.

Astrologie und Gesundheit.

Durch das Studium des Geburtshoroskops können wir die Tendenzen zu bestimmten Krankheiten beobachten, da die Energie der Tierkreiszeichen und der Planeten uns auf psychischer und physischer Ebene beeinflusst.

Traditionell weist die Astrologie jedem Sternzeichen eine anatomische Äquivalenz zu. Das Modell ist einfach, da es im Widder am Kopf beginnt und bis zu den Füßen reicht, regiert von Fischen.

Widder, regiert das Gesicht, die Augen, das Gehirn und den Kopf. Arianer leiden unter Migräne und Kopfschmerzen. Die Widderdrüsen sind die Nebennieren, die in Notfällen Adrenalin in den Blutkreislauf drücken, weshalb sie den Ruf haben, impulsiv zu sein.

Stier regiert Hals, Nacken, Kleinhirn und Unterkiefer. Dies macht sie besonders anfällig für Erkältungen. Anfällig für Heiserkeit und Zahnprobleme. Ihre Drüse ist die Schilddrüse und wenn sie nicht richtig funktionieren, wird es zu ernsthaften Gewichtsproblemen kommen.

Zwillinge, es regiert die Lunge, Schultern, Arm, Hände und Nerven. Sie sind anfällig für Bronchitis und brechen ihr Schlüsselbein und ihre Arme. Spannungen und übermäßige Verantwortlichkeiten beeinträchtigen Ihr Nervensystem.

Krebs regiert den Magen und die Brüste. Sie neigen dazu, sich übermäßig Sorgen zu machen, so dass sie an Verdauungsstörungen, Reflux und Geschwüren leiden. Sie können Störungen im lymphatischen System haben.

Löwe, es regiert das Herz, die Wirbelsäule und den Rücken. Sie können Herzklopfen haben. Sie sollten sich um Herzinfarkte und Rückenmarkserkrankungen kümmern.

Jungfrau regiert den Dünndarm, den Bauch und das Nervensystem. Sie leiden an Colitis und Magenproblemen, die alle mit ihrer nervösen Anspannung zusammenhängen. Sie sind Hypochonder.

Waage regiert die Nieren, Blase und Lendengegend. Jede Diskrepanz im Gleichgewicht der Waage wird sich in schweren Nierenerkrankungen widerspiegeln. Sie absorbieren Mineralien nicht gut.

Skorpion regiert die Geschlechtsorgane, den Dickdarm und die Nase. Die Unterdrückung ihrer sexuellen Energie kann sie gewalttätig machen. Sie erwerben leicht Geschlechtskrankheiten. Sie können unter körperlicher und geistiger Erschöpfung leiden.

Schütze regiert die Hüften, Oberschenkel, Gesäß und Leber. Wenn sie keine körperlichen Übungen durchführen, können sie körperlich und geistig schwächen. Sie neigen dazu, an Gewicht zuzunehmen, besonders um die Hüften und Oberschenkel. Sie sind anfällig für Ischias und Gicht.

Steinbock regiert die Gelenke, Haut, Haare und Knochen. Orthopädische und zahnärztliche Verletzungen sind häufig. Sie leiden an Rheuma und allem, was die osteologische Struktur beeinflusst, sowie Hautallergien und Dermatitis.

Wassermann regiert die Rückseite der Beine, Knöchel und Kreislauf. Sie leiden unter Krampfadern, Sklerose der Arterien, Krämpfen und Muskelverrenkungen.

Fische, beherrsche die Füße. Jeder Schaden an ihnen, egal wie minimal, schadet ihnen. Sie reagieren nicht gut auf Medikamente, selbst ein Aspirin kann Folgeerscheinungen hinterlassen. Darüber hinaus haben sie depressive Tendenzen.

Im Geburtshoroskop sind die Häuser, die die klarsten Richtlinien zur Gesundheit bieten, das sechste, erste und zwölfte. Das sechste Haus zum Beispiel zeigt die Anfälligkeit für Krankheiten, entsprechend dem Schild oben und den darauf befindlichen Planeten. Die Planeten zeigen die Neigung zu bestimmten Krankheiten an. Saturn und Mars erzeugen Veränderungen. Jupiter und Venus begünstigen die Erholung. Wir können auch Krankheiten haben, die mit dem Aszendenten Zeichen zusammenhängen, da es unseren Körper darstellt und auf eine Resistenz gegen gesundheitliche Komplikationen hinweist. Es ist notwendig, das Geburtshoroskop zu studieren, da es die Synthese der Muster ist, die uns eine breitere Sicht auf dieses Thema bietet.

Wenn die Erde schreit, weint der Himmel.

Ende September 2022 terrorisierte Hurrikan Ian Millionen von Menschen und peitschte West Kuba, bevor er Florida von den tropischen Gewässern des Golfs von Mexiko bis zum Atlantischen Ozean durchquerte, wo er die Streitkräfte für einen letzten Angriff auf South Carolina rekrutierte. In den letzten Jahren ist der Klimawandel zu einem der Hauptanliegen der Menschheit geworden, und alle Wissenschaftler sind sich einig, dass sich die Erde erwärmt und dass sich die Menschen daran beteiligen.

Die Astrologie bietet einen einzigartigen Ansatz für diese Tatsache, der auf der Analyse der jüngsten Wettertrends basiert und Hinweise auf mögliche zukünftige Klimafolgen geben kann.

Alles, was wir erleben und warum, ist auf die Prominenz von Neptun in Fische zurückzuführen, wo es bis 2026 sein wird. Neptun regiert speziell Überschwemmungen, Flüsse und das Meer, und Fische sind ein Zeichen für Wasser. Es ist üblich, dass Fische-Zyklen mit dramatischen Überschwemmungen zusammenfallen, und tatsächlich sind während dieser Überschwemmungen historische Überschwemmungen aufgetreten. Der Hurrikan Sandy, der die Karibik und die Ostküste der Vereinigten Staaten traf und einen Rest von Millionen Betroffenen hinterließ, 165

Todesfälle, intensive Überschwemmungen und die Einstellung der Transportsysteme in New York im Jahr 2012 verursachte, ereignete sich zu Beginn des Zyklus von Neptun in Fische.

Als Saturn 1936 durch dieses Zeichen fuhr, ereignete sich die sogenannte "St. Patricks Day Delage", bei der es vom 9. bis 22. März ohne Unterbrechung regnete. Während des Transits von Jupiter und dem Südknoten in Fische im Jahr 1998 ereignete sich "The Texas Flood", einer der teuersten Stürme in der Geschichte der Vereinigten Staaten, mit Niederschlägen von mehr als 20 Zoll in einigen Teilen von Südost-Texas. Im Frühjahr 1927, als Uranus und Jupiter durch Fische zogen und Merkur auch in Fischen rückläufig war, ereignete sich zu dieser Zeit die schlimmste Sintflut in der amerikanischen Geschichte. Sieben Staaten wurden zerstört, als der Mississippi über die Ufer trat, und 16 Millionen Morgen verschwanden, und es gab mehr als eine Million Evakuierte. Diese Beispiele deuten darauf hin, dass bei langsamen Transits von äußeren Planeten oder den Mondknoten in Fische katastrophale Überschwemmungen, Hurrikane und katastrophale Sturmfluten auftreten.

Unser Planet ist in Gefahr, einige der katastrophalsten Überschwemmungen, Stürme und Tsunamis seit Jahrzehnten mit steigendem Meeresspiegel und schmelzendem Eis in der Antarktis und der Arktis zu erleben. Wir haben heißere Sommer erlebt, und wenn Saturn von März 2023 bis Februar 2026 Fische durchquert, werden endgültige Beweise für den Klimawandel mit schweren und katastrophalen Überschwemmungen erscheinen.

Die Ozeane sind ein unglaublicher Kohlenstoffkanal, der etwa 30% des Kohlendioxids verschlingt, das wir Menschen jedes Jahr erzeugen, aus diesem Grund verändert sich die Chemie des Meeres drastisch. Wenn Kohlendioxid vom Ozean absorbiert wird, wird es verdünnt und bildet Kohlensäure, was bedeutet, dass der Ozean saurer wird und das pH-Gleichgewicht beeinflusst, von dem Millionen von Organismen abhängen. Da wir mehr fossile Brennstoffe verbrennen, steigt die

Konzentration von Kohlendioxid in unserer Atmosphäre weiter an, was den Klimawandel forciert und dazu führt, dass die Luft- und Meerestemperaturen immer höher werden.

Die Verantwortung ist kollektiv, denn speziell im Jahr 2025, wenn der Nordknoten, der rückläufige Merkur, die Sonne, eine Sonnenfinsternis, Saturn und Neptun in Fische sind, eine Ausrichtung, die noch nie in unserem Leben gesehen wurde, die globalen Risiken von Überschwemmungen, Hurrikanen und Tsunamis nimmt niemand von oben.

Wir können unsere Brennstoffe, unseren Verbrauch ersetzen und uns bewusst sein, wenn wir die Ressourcen manipulieren, die Mutter Erde uns zur Verfügung stellt. Wir alle können dazu beitragen, den Klimawandel einzudämmen. Von der Art und Weise, wie wir uns bewegen, dem Strom, den wir ausgeben, bis hin zu den Lebensmitteln, die wir essen und was wir kaufen; Damit können wir Einfluss nehmen.

Der Klimawandel wird Auswirkungen auf unsere Gesundheit haben, wenn Sie dieser Tatsache nie Bedeutung beigemessen haben, denken Sie, dass die Wasserqualität, ihre Nutzung und ihr Potenzial, sie zu erhalten und zu nähren, Auswirkungen sowohl auf die marinen Ökosysteme als auch auf die menschlichen Ökosysteme haben. Pflanzen brauchen Wasser, um zu wachsen, aber auch alles, was wir kochen, wird mit Wasser hergestellt. Die Ozeanversauerung stellt nicht nur die marinen Ökosysteme vor Herausforderungen, sondern übt auch Druck auf die menschlichen Ernährungssysteme aus und untergräbt die Lebensgrundlagen der Menschen, die für ihre Gewinne in jeder Hinsicht vom Ozean abhängig sind, von der Fischerei bis zum Tourismus.

Bibliografie

Die verwendeten Artikel wurden von einer der Autorinnen im El Nuevo Herald veröffentlicht, einer Zeitung, für die sie wöchentliche Kolumnistin ist.

Rituale der Bücher: Liebe für alle Herzen, Geld für alle Taschen und Gesundheit für alle Körper, veröffentlicht von einem der Autoren.

Über die Autoren

Zusätzlich zu ihrem astrologischen Wissen verfügt Alina Rubi über eine reichhaltige Berufsausbildung; Sie hat Zertifizierungen in Psychologie, Hypnose, Reiki, Bioenergetische Heilung mit Kristallen, Engelheilung, Traumdeutung und ist spirituelle Lehrerin. Rubi hat Kenntnisse der Gemmologie, mit der er Steine oder Mineralien programmiert und sie in mächtige Amulette oder Schutztalismane verwandelt.

Rubi hat einen praktischen und zielgerichteten Charakter, der es ihm ermöglicht hat, eine besondere und integrierende Vision von mehreren Welten zu haben, die Lösungen für spezifische Probleme erleichtert. Alina schreibt die Monatshoroskope für die Website der American Asociation of Astrologers; Sie können sie auf der www.astrologers.com Website lesen. In diesem Moment schreibt er eine wöchentliche Kolumne in der Zeitung

El Nuevo Herald über spirituelle Themen, die jeden Sonntag in digitaler Form und montags in gedruckter Form erscheint. Er hat auch ein Programm und ein Wochenhoroskop auf dem YouTube-Kanal dieser Zeitung. Sein astrologisches Jahrbuch erscheint jedes Jahr in der Zeitung "Diario las Américas" unter der Rubrik Rubi Astrologa.

Rubi hat mehrere Artikel über Astrologie für die monatliche Publikation "Today's Astrologer" verfasst, hat Astrologie, Tarot, Handlesen, Kristallheilung und Esoterik gelehrt. Sie hat wöchentlich Videos zu esoterischen Themen auf ihrem YouTube-Kanal: Rubi Astrologa. Sie hatte ihr eigenes Astrologie Programm, das täglich durch Flamingo T.V. ausgestrahlt wurde, wurde von mehreren Fernseh- und Radioprogrammen interviewt, und jedes Jahr wird ihr "Astrologisches Jahrbuch" mit dem Horoskop Zeichen für Zeichen und anderen interessanten mystischen Themen veröffentlicht.

Sie ist Autorin der Bücher "Reis und Bohnen für die Seele" Teil I, II und III, einer Zusammenstellung esoterischer Artikel, die in Englisch, Spanisch, Französisch, Italienisch und Portugiesisch veröffentlicht wurden. "Geld für alle Taschen", "Liebe für alle Herzen", "Gesundheit für alle Körper", Astrologisches Jahrbuch 2021, Horoskop 2022, Rituale und Zaubersprüche für den Erfolg im Jahr 2022, Zaubersprüche und Geheimnisse, Astrologie Kurse, Rituale und Amulette 2023 und Chinesisches Horoskop 2023 alle in fünf Sprachen verfügbar: Englisch, Italienisch, Französisch, Japanisch und Deutsch.

Rubi spricht perfekt Englisch und Spanisch und kombiniert all ihre Talente und ihr Wissen in ihren Lesungen. Sie lebt derzeit in Miami, Florida.

Weitere Informationen finden Sie **auf der Website www.esoterismomagia.com**[3]

Alina A. Rubi ist die Tochter von Alina Rubi. Derzeit studiert sie Psychologie an der Florida International University.

---

3.   *http://www.esoterismomagia.com*

Als Kind interessierte sie sich für alle metaphysischen, esoterischen Themen und praktizierte Astrologie und Kabbala ab dem Alter von vier Jahren. Er hat Kenntnisse in Tarot, Reiki und Gemmologie. Sie ist nicht nur Autorin, sondern zusammen mit ihrer Schwester Angeline A. Rubi Herausgeberin aller von ihr und ihrer Mutter veröffentlichten Bücher.

Für weitere Informationen können Sie sie per E-Mail kontaktieren: rubiediciones29@gmail.com

Don't miss out!

Visit the website below and you can sign up to receive emails whenever Rubi Astrologa publishes a new book. There's no charge and no obligation.

https://books2read.com/r/B-A-DJNU-HKKCC

Connecting independent readers to independent writers.